GW00865926

C'est sympa

French for the oral exam

David Sprake, B.A., Dip. Ed.
Head of Modern Languages
Chiltern Edge School

Oxford University Press 1979

OXFORD LONDON GLASGOW NEW YORK TORONTO
MELBOURNE WELLINGTON KUALA LUMPUR
SINGAPORE JAKARTA HONG KONG TOKYO DELHI
BOMBAY CALCUTTA MADRAS KARACHI NAIROBI
DAR ES SALAAM CAPE TOWN

© Oxford University Press 1979

Set by Illustration Services Ltd., Oxford.
Printed in Great Britain by Spottiswoode Ballantyne Ltd., Colchester.

Illustrations by Marc Lillo

Contents

Introduction

Both the oral examination and classroom teaching are highly artificial situations, but, unlike work in class, the O-level oral examination is carried out with a complete stranger, usually in a strange room and often in rapid, conveyor-belt fashion. It is an ordeal for many pupils, even the more able. Nor can one now, as the more cynical used to, dismiss it as a relatively unimportant part of the examination as a whole.

The general conversation element, which is included in most syllabuses, is the most 'natural' exercise, and the longest section of this book is devoted to it. One could be forgiven for assuming that a good classroom pupil will automatically do well in the general conversation test; but it seems that such pupils all too often underperform, producing stereotyped answers to direct questions and proving unimaginative when faced with open-ended ones ... 'Je fais mes devoirs' ... 'Je regarde la télévision' ... 'Je fais une promenade' ...

The aim of the first section is to remedy this by systematically reviewing the areas on which the pupils are likely to be questioned, expanding their vocabulary, practising useful structures, and generally building up their confidence to speak freely in French about themselves, their own situations and experiences. Particular attention is given to those areas of the pupils' experience which are peculiarly English and hence not easily discussed and explained in French. Such details very rarely feature in the pupils' main French course, which stresses, understandably, the French way of life.

Teachers have their individual ways of presenting and exploiting materials and I offer the following approach to this section merely as a suggestion:

—The pupils listen to the passage from the tape once or twice, without the printed text.

—They then read through the text quietly to themselves.

—The teacher discusses the passage with them in French, asking questions, inviting questions and explaining new words until he/she is satisfied that it has been fully understood.

—Any suggested structures are discussed and the accompanying exercises completed, first orally and then in writing. The structures can be the basis of further exercises, if the teacher feels this necessary.

—The printed questions are then answered, first orally and then in writing, exploiting freely the suggested structures. The written answers will gradually build up into a 'profile' of each individual pupil.

—The pupils are then encouraged to speak freely about the particular topic in answer to a general, open-ended question or instruction ('Parlez-moi de votre école ...') with the teacher's intervention only when they falter, and then only with further open-ended prompts (... 'et l'après-midi? ...' ... 'et pour manger? ...'). The less confident pupils are permitted to work from the sort of schematic notes described on page 2.

In the other three sections, single pictures with questions, picture-story narrative, and role-play, I thought it important to indicate structures which can usefully be revised and to practise individually some of the underlying skills required, as well as to give sample questions. The latter are therefore limited in number but can be supplemented from a wealth of sources.

The advice, notes and explanations are included particularly for those students who have limited access to a teacher and must do much of the preparation on their own.

Finally, I would like to express my gratitude to my friend and colleague, Claude Perroy, for checking the 'Frenchness' of my French and for his

suggestions, and also to David Smith who read the
general conversation section in manuscript and made
some very helpful comments.

The following symbols are used in the
conversation section:

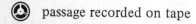 passage recorded on tape

? questions

X exercise

◢ structure

Some preliminary advice to pupils

1. Remember that every question implies several more. Say as much as you can about anything connected with the question:
   e.g. 'Have you any brothers or sisters?'
   —how many?
   —names?
   —ages?
   —schools/places of
     work?
   —appearance?

   'Have you ever been abroad?'
   —where?
   —when?
   —with whom?
   —what sort of stay?
   —for how long?
   —are you going again?
   —did you enjoy it?
   —why (not)?
   —how much did it cost?
   —how did you travel?

2. Remember to simplify those things which you cannot translate easily.
   e.g. If your father is a capstan-lathe operator, say that he works in a factory:
   > Il travaille dans une usine.
   > Il travaille chez Ford.

   If he is a traffic control operator at Heathrow, say that he works at London Airport:
   > Il travaille tout près de Londres, à l'aéroport de Heathrow.

3. There is more merit in giving an answer like this which you understand than in using (and probably mispronouncing!) a word which you have obviously looked up, which means little to you, and beyond which you can say nothing:
   > Mon père est kinésithérapeute!

   Remember that you are not obliged to be strictly factual in your answers. There is no reason why you should not 'role-play' a little!
   e.g. If your father has a job which is difficult to explain, invent another for him, making sure that it is one you can say a lot about:
   > Mon père est facteur . . . il doit se lever de très bonne heure le matin, vers cinq heures . . . sa tournée commence à six heures et demie . . . il distribue des centaines de lettres et de paquets chaque jour . . .

4. If you find something too difficult to explain, don't stutter and stumble along, say so!
   Ça c'est vraiment trop compliqué, monsieur.
   C'est trop difficile à expliquer, madame.
   Je n'ai vraiment aucune idée.
   Je ne peux pas vous en expliquer les détails . . . il me manque le vocabulaire nécessaire.

   If there are facts or details which you cannot remember, explain this to the examiner by saying:

J'ai oublié exactement	quand	c'était.
	où	
	qui	

   Je ne me rappelle pas les détails pour le moment.
   Je ne me rappelle plus.
   Je ne m'en souviens plus.

5. The examiner will avoid too many questions requiring just a 'yes' or 'no' answer. When one arises, however, rather than a simple 'oui' or 'non', always remember to add 'monsieur' or 'madame' and try to introduce one of the following where appropriate:

oui	non
certainement	pas du tout
assurément	absolument pas
bien sûr	tout au contraire
évidemment	je crois que non
sans doute	non heureusement
je l'espère	(malheureusement)
je crois que oui	j'espère que non
en effet	je ne pense pas
absolument	certainement pas
c'est bien ça	pas vraiment
	pas particulièrement

6. If you don't understand a question, say so, and ask for it to be repeated:

Pardon, monsieur, je n'ai pas compris.
Voulez-vous me répéter la question, s'il vous plaît?
Est-ce que vous pouvez me répéter la question plus lentement, s'il vous plaît?
Je ne comprends pas la question, madame.
Je ne comprends pas (tout à fait) ce que vous voulez dire.

If you still don't understand:

Excusez-moi, je ne comprends toujours pas.
C'est un mot/une expression que je ne connais pas.

7. Learn as many synonyms as you can. They are very useful when you are asked several questions of the same type:

. . . J'aime beaucoup les chiens . . . J'adore les chevaux . . .

. . . Je n'aime pas les escargots . . . Je déteste les épinards . . .
. . . Je ne suis jamais allé en France . . . Je n'ai jamais été en Allemagne non plus.

8. A final note on the setting out of your preparation. Don't do it this way:

Il y a trois ans je suis allé(e) à Paris. Après avoir fait mes valises, et ayant dit au revoir à mes parents, je me suis mis(e) en route pour la gare où . . .

As soon as the examiner hears the first couple of phrases, you will be stopped with a further question. Remember, you are not being tested on your ability to learn passages of French by heart. Instead, set your preparation out in the form of 'shorthand' notes. Working and revising from this will give you practice at linking items and at the same time get you away from 'parrot-learning'. The following notes, for example, should enable you to speak for quite some time about a trip to France:

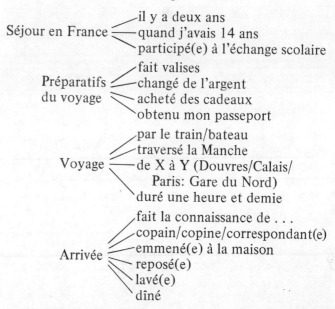

Séjour en France
— il y a deux ans
— quand j'avais 14 ans
— participé(e) à l'échange scolaire

Préparatifs du voyage
— fait valises
— changé de l'argent
— acheté des cadeaux
— obtenu mon passeport

Voyage
— par le train/bateau
— traversé la Manche
— de X à Y (Douvres/Calais/ Paris: Gare du Nord)
— duré une heure et demie

Arrivée
— fait la connaissance de . . .
— copain/copine/correspondant(e)
— emmené(e) à la maison
— reposé(e)
— lavé(e)
— dîné

Conversation

A

In this section we are going to deal with some of the simple preliminary questions which are almost always asked of all candidates and which usually receive the same stereotyped formula ('Je m'appelle . . .'; 'J'ai . . . ans . . . '). Put yourself in the examiner's place and compare the efforts of Candidates A and B in each case. Which one would *you* give higher marks to? Obviously you would not have time to expand on every remark as Candidate B does; these answers are quite deliberately exaggerated to show how a bit of thought and imagination can lead to answers which are more interesting both for the examiner to hear and for you to prepare. The answers given by Candidate B are not intended to be learnt parrot-fashion; they are meant to make you think of the full possibilities behind even the simplest of questions.

Notice that Candidate B's answers are not offered in long, polished sentences. It is much more natural to answer in this 'fragmented' way—after all, a French person would! This is why the 'flow-diagram' type of preparation is important; it will lead to natural answers and you should never 'dry up' as you could if you were to learn long passages by heart.

1. *Examinateur:* Bonjour, jeune homme. Comment vous appelez-vous?

   Candidat A: Je m'appelle Peter Smith.

   Candidat B: Bonjour, monsieur. Je m'appelle Bridges . . . ça correspond au nom de famille français Dupont, n'est-ce pas? J'ai deux prénoms: Brian et David, mais je n'aime pas tellement Brian comme nom, alors on m'appelle d'habitude David ou Dave. Mes copains m'ont surnommé 'Carrot'—c'est-à-dire 'Poil de carotte'—à cause de mes cheveux roux . . .

A typical preparation for the above might have been:

Je m'appelle . . . /deux prénoms/nom de famille/surnom/Bridges=Dupont
'Carrot' = 'Poil de carotte'/à cause des cheveux roux

? Now imitate Candidate B's answer by answering the following questions:

Quel est votre nom de famille?
Combien de prénoms avez-vous?
Comment est-ce que votre famille vous appelle?
Et vos copains/copines?
Est-ce que votre nom de famille a un équivalent en français?
Si vous avez un nom de famille étranger, d'où vient-il?
Quel en est l'origine?
Est-ce que votre prénom vous plaît ou en préféreriez-vous un autre? Lequel?
Avez-vous un surnom? Lequel?
Pourquoi vous appelle-t-on ainsi?

When answering the last of the above questions, remember that you can use either of the following structures:

parce que + verb
à cause de + noun

| On m'appelle ainsi | parce que j'ai les cheveux roux. |
| | à cause de mes cheveux roux. |

3

2. *Examinateur:* Où habitez-vous?

Candidat A: J'habite vingt-deux Wood Hill Close, Emmer Green.

Candidat B: J'habite pas très loin d'ici . . . à, disons, quatre kilomètres. La rue se trouve dans la banlieue nord de Reading . . . pas dans la ville même. C'est un cul-de-sac qui s'appelle Cherry Tree Close . . . c'est un coin assez tranquille . . . un peu à l'écart de la grand'route. On est bien là-bas. J'habite au numéro trois, c'est-à-dire la troisième maison à gauche . . . Elle porte aussi un nom . . . mes parents l'ont nommée 'Mon repos' . . . je trouve ça un peu ridicule. Ce n'est pas mal comme quartier . . . un peu mort, peut-être. Il n'y a pas grand'chose pour nous les jeunes . . . c'est quand même pratique; il y a un arrêt d'autobus tout près de chez nous . . . on est à quelques minutes du centre . . .

A typical preparation for the above might have been:

habiter — pas loin/tout près
— à quatre kms. de . . .
— dans la banlieue/en banlieue/pas dans la ville même

maison — nom—ridicule!
— numéro (au numéro 3)
— deuxième à gauche

rue — cul-de-sac
— à l'écart de . . .
— grand'route/arrêt d'autobus
— à quelques minutes de . . .

expressions — c'est pratique/un peu mort
— on est bien
— pas grand'chose à faire

? Now answer the following questions about your own situation:

Comment s'appelle la rue/l'avenue que vous habitez?
Pourquoi l'-a-t-on nommée ainsi?
Est-ce que le nom se traduit facilement en français?
Quel genre d'habitation avez-vous? .

Quel en est le numéro?
Si vous habitez une maison, est-ce qu'elle porte un nom?
D'où vient-il?
Combien d'autres maisons y a-t-il dans la même rue (ou combien y a-t-il d'appartements dans l'immeuble)?
Quels autres bâtiments se trouvent dans un rayon de, disons, 200 mètres de chez vous?
Que pensez-vous du quartier que vous habitez?
Est-ce que c'est pratique? Pourquoi (pas)?
A combien de minutes habitez-vous de l'arrêt d'autobus le plus proche?
A combien de mètres/kilomètres habitez vous de la gare/la station de métro la plus proche?
Qu'y a-t-il dans le quartier pour vous les jeunes?

◼ When explaining where something is situated, remember the following alternatives:

Le bâtiment	est . . .
	est situé . . .
	se trouve . . .

When expressing distance, instead of using a simple **près de** or **loin de**, you can combine these with other words or use a number of other expressions:

tout		
assez	près de . . .	
plutôt		

pas	très	
	trop	
	tellement	loin de . . .
	vraiment	

à deux pas de . . .
à très peu de distance de . . .
à quelques minutes de . . .
à un quart d'heure de . . .
à deux cent mètres de . . .
à un kilomètre de . . .

If you wish to indicate that your estimate is appropriate, you can add one of the following:

environ
à peu près
plus ou moins
ou quelque chose comme ça

---

3. *Examinateur:* Quel âge avez-vous?

Candidat A: J'ai quinze ans.

Candidat B: J'aurai bientôt seize ans. Mon anniversaire est en août; c'est-à-dire dans trois mois environ . . . pendant les grandes vacances. Je suis né en dix-neuf cent soixante-quatre. Je vais fêter mon anniversaire en Espagne cette année car on va passer une quinzaine de jours sur la Costa Brava . . .

? En quel mois tombe votre anniversaire?
En quelle saison est-il donc?
Quelle en est la date exacte?
En quelle année êtes-vous né(e)?
Est-ce que votre anniversaire tombe pendant les vacances ou pendant l'année?

X Enter your own details in one of the following sentences:

a   Je viens de fêter mon . . . . . . ième anniversaire au mois de . . . . . . ;

c'est-à-dire il y a . . . . . .
| jours | environ.
| semaines |
| mois |

b   J'aurai . . . . . . ans au mois de . . . . . . ; c'est-à-dire dans . . . . . .
| jours | à peu près.
| semaines |
| mois |

The following expressions are useful when discussing birthdays or events generally:

Je viens d'avoir
J'ai
J'aurai bientôt
| . . . . . . ans

C'était mon anniversaire
| lundi dernier
| la semaine dernière
| le mois dernier
| il y a . . . . . .| jours
| | semaines
| | mois

C'est mon anniversaire
| lundi prochain
| la semaine prochaine
| le mois prochain
| dans . . . . . .| jours
| | semaines
| | mois

---

4. *Examinateur:* Quel temps fait-il?

Candidat A: Il pleut.

Candidat B: Eh bien, ce matin il a fait beau, à part quelques nuages . . . un peu froid peut-être . . . Mais maintenant il pleut depuis une demi-heure . . . Le ciel est couvert . . . comme hier, n'est-ce pas? Mais j'ai l'impression qu'il ne pleuvra pas longtemps . . . J'espère que non . . . j'ai un match de foot ce soir!

? Quel temps fait-il aujourd'hui?
Depuis quand fait-il ce temps-ci?
Y a-t-il des nuages?
Quel temps a-t-il fait hier?
A votre avis quel temps fera-t-il ce soir?
Quel temps fait-il généralement à Noël?
Est-ce qu'on a eu de la neige à Noël l'an dernier?
Quel temps a-t-il fait pendant les grandes vacances l'an dernier?

X **a** Practise the past, present and future tenses of expressions about the weather by completing the following with a variety of examples:

Actuellement Ce matin Cet après-midi Ce soir Hier Avant-hier Il y a une heure Plus tard	il . . . . . .

b Complete the following sentences by saying what you hope the weather will or won't be like:

On va se baigner ce soir. Je n'ai pas envie de jouer au foot/hockey samedi. On va camper pendant le week-end. On va traverser la Manche cette nuit. Les vacances commencent demain.	J'espère	que . . . . . . qu' . . . . . .

■ It would be advisable to learn a few expressions which do not usually appear in text book lists. Here are a few:

Le ciel est couvert
Le temps s'éclaircit

Il y a	beaucoup de un peu de	vent

Il y a une légère brise

Il fait	assez un peu extrêmement drôlement	chaud froid

Il fait frais
Il ne fait pas du tout chaud
Il ne fait pas tellement chaud

Il fait un temps	splendide formidable

Il fait un sale temps
Il fait une chaleur étouffante
Le temps se met au beau
Il fait lourd

Cette	froideur chaleur	est presque insupportable

Il fait	de l'orage un temps orageux

The following structures are useful when discussing the weather:

Il	commence a commencé	à + infinitive

Il vient de + infinitive
J'ai l'impression qu'il + future tense
J'espère qu'il + future tense
Il s'est arrêté de + infinitive

Note the use of **depuis** in the following examples:

Il	pleut fait beau	depuis	hier deux/trois jours une semaine une quinzaine de jours

---

5. *Examinateur:* Avez-vous des frères ou des sœurs?

Candidat A: Oui, j'ai un frère et une sœur.

Candidat B: Des sœurs je n'en ai pas. Par contre j'ai deux frères. Peter, qui est l'aîné, a dix-huit ans . . . . Il travaille actuellement chez Honeywell comme représentant. L'autre s'appelle Charley . . . Il est plus jeune que moi . . . il a neuf ans. Il va toujours à l'école primaire, mais il me rejoindra ici quand il aura onze ans.

? Combien de frères avez-vous?
Comment s'appelle-t-il/s'appellent-ils?
Quel âge a-t-il/ont-ils?
Comment est-il/sont-ils?
Avez-vous des sœurs?
Comment s'appelle-t-elle/s'appellent-elles?
Quel âge a-t-elle/ont-elles?
Comment est-elle/sont-elles?
Êtes-vous fils/fille unique?
Avez-vous un frère jumeau/une sœur jumelle?
Qui est le plus vieux dans votre famille?
Qui est le plus jeune?
Qui est plus âgé que vous?
Qui est moins âgé que vous?
Avez-vous un frère fiancé/une sœur fiancée?
Comment s'appelle son fiancé/sa fiancée?
Où habite-t-il/elle?
Avez-vous un frère marié/une sœur mariée?
Comment s'appelle son mari/sa femme?
Où habitent-ils?
Quand est-ce qu'ils se sont mariés?
Où est-ce que ce frère/cette sœur travaille?
Combien êtes-vous chez vous?

X Match up each of the following statements with its
correct follow-up sentence:

Je n'ai ni frères ni sœurs.
Ma sœur a le même âge que moi.
Mon frère, Alan, a seulement quatre ans.
Ma sœur, Susan, a huit ans.
Dereck, mon frère cadet, a dix ans.
J'ai une sœur mariée.
Mon frère aîné, Harold, a vingt-deux ans.
Sara vient d'avoir seize ans.
Des frères je n'en ai pas.
J'ai des frères jumeaux qui sont plus jeunes que moi.

Par contre j'ai une sœur.
Ils ont neuf ans.
Elle vient tout juste de quitter l'école.
Elle et son mari habitent à Bristol.

Elle va à l'école primaire.
Je suis fille unique.
Nous sommes sœurs jumelles.
Il n'habite plus chez nous; il travaille chez
Gillette à Reading.
Il me rejoindra dans cette école l'année prochaine.
Il est encore trop jeune pour aller à l'école.

If you need to distinguish between two or more
brothers and sisters, the following expressions can
be used:

mon	premier	frère	ma	première	sœur
	deuxième			deuxième	
	troisième			troisième	

le plus	petit		la plus	petite
	jeune			jeune
	vieux			vieille
	âgé			âgée

le prochain		la prochaine	

mon	petit	frère	ma	petite	sœur
	grand			grande	

mon frère	cadet	ma sœur	cadette
	aîné		aînée

If you need to refer to them collectively, use:

tous les	deux	toutes les	deux
	trois		trois

The following structures are very important:

Je n'ai ni . . . ni . . .

Je n'ai pas	de . . .
	d' . . .

Je n'ai	que . . .
	qu' . . .

B

This section contains a series of texts and dialogues about the day-to-day lives of a number of English people. By means of the questions which follow them and the exercises and suggested structures, you'll be able to build up a 'profile' of yourself, your friends and family, your hobbies and interests, your week-ends and holidays, in fact most aspects of your life which you could be questioned about.

1. **Une journée à l'école.**

John a quatorze ans et demi. Il va au C.E.S. Il est en quatrième. L'école se trouve près de la ville de Wigan. Il habite à environ dix kilomètres de là, à la campagne. Il va à l'école en car. Ce sont les cars de ramassage scolaire. Il prend le bus vers huit heures vingt-cinq et le trajet prend à peu près vingt minutes.

D'habitude il arrive à l'école juste au moment où la cloche sonne, c'est-à-dire à neuf heures moins le quart. Il va tout de suite dans sa salle de classe. Le professeur responsable de sa classe fait l'appel. Il y a parfois une assemblée. Les élèves chantent des cantiques et disent des prières. Ensuite le directeur ou le sous-directeur fait un petit discours et leur donne des informations sur la vie de l'école.

Les cours commencent à neuf heures vingt. Le matin il y a quatre cours. Après les deux premiers il y a une récréation d'un quart d'heure. Après le dernier cours de la matinée il y a une pause-déjeuner d'une heure et quart. L'après-midi il y a quatre autres cours sans interruption. Chaque cours dure trente-cinq ou quarante minutes.

Pendant la récréation John et ses amis achètent des bonbons, des chips et des boissons à la confiserie de l'école. Quand il fait sec ils se promènent autour des aires de jeux ou jouent au ballon. Quelquefois ils choisissent leurs équipes et font une partie de foot. Ils se rassemblent sur les marches ou dans les coins de la cour. Ils bavardent avec des filles. Quelques-uns se cachent en bas du champ ou derrière le gymnase et fument. Quand il pleut, ils doivent rester à l'intérieur du bâtiment.

La plupart des élèves mangent à la cantine le midi. La nourriture n'est pas trop mauvaise. D'autres apportent leur propre nourriture. Bon nombre de ceux qui habitent dans le voisinage rentrent chez eux à midi.

? Quel âge avez-vous?
En quelle année êtes-vous donc?
Comment s'appelle votre école?
Quel genre d'école est-ce?
Où se trouve-t-elle?
Où habitez-vous par rapport à l'école?
Comment vous rendez-vous à l'école?
A quelle heure vous mettez-vous en route?
Combien de temps le trajet prend-il?
Quand est-ce que vous arrivez donc à l'école?
Allez-vous tout de suite dans votre salle de classe en arrivant?
Sinon, que faites-vous?
A quelle heure la cloche sonne-t-elle chez vous?
Comment s'appelle le professeur responsable de votre classe?
Combien y a-t-il d'élèves dans votre classe où l'on fait l'appel?
Combien de fois par semaine assistez-vous à une assemblée?
Qu'est-ce qu'on fait à l'assemblée?
Qui est-ce qui mène l'assemblée?

Combien de cours y a-t-il chez vous le matin?
Et l'après-midi?
Combien de temps chaque cours dure-t-il?
Et la récréation?
Et la pause-déjeuner?
Quelle proportion d'élèves mangent à l'école?
Combien d'entre eux apportent de quoi manger?

Combien d'élèves rentrent chez eux?
Que faites-vous personnellement?
Combien d'élèves y a-t-il en tout?
A partir de quelle heure êtes-vous libre le soir?

Est-ce qu'on peut acheter de quoi manger et boire
pendant la récréation ou à midi?
Qu'est-ce qu'on peut acheter?
Où est-ce que ça se vend?
Qui s'en charge?
Avec qui passez-vous les récréations d'habitude?
Que faites-vous quand il fait beau?
Et quand il fait mauvais?
Est-ce que vous fumez, vous?
Ne pensez-vous pas que c'est une mauvaise
habitude?

X When you are speaking about yourself and your
friends it is much more natural to use **on** rather than
nous (and less clumsy). Practise this by completing
the following sentences with a suitable activity:

Quand on est en cinquième on . . .
Quand le bus arrive en retard on . . .
Quand on arrive à l'école on . . .
Quand la cloche sonne on . . .
Quand on parle à l'assemblée on . . .
Quand le directeur entre on . . .
Pendant la récréation on . . .
Pendant la pause-déjeuner on . . .
Quand on a soif on . . .
Quand on a faim on . . .
Quand on veut jouer au foot on . . .
Quand il pleut on . . .
Quand il fait beau on . . .
Pour fumer on . . .

When answering questions introduced by **combien
de** . . . remember to use the pronoun **en** rather than
to repeat the original noun:

e.g. Combien d'élèves y a-t-il . . . ?
     Il y a mille quatre cent élèves.
     Il y a **en** a mille quatre cents.

En can be used in a variety of answers; look at the
following examples:

Il y **en** a   à peu près dix
J'**en** ai   une vingtaine
J'**en** ai|vu   beaucoup
       |acheté   plusieurs
Je vais **en** acheter | quelques un(e)s

Il n'y **en** a pas
Je n'**en** ai pas
Je n'**en** ai pas | vu
              | acheté
Je ne vais pas **en** acheter

Look back through the questions you have answered
to date and see whether you could have simplified
them in this way.

Note the following alternative way of expressing
approximate numbers:

à peu près dix = une dizaine
environ vingt = une vingtaine
à peu près trente = une trentaine
environ cent = une centaine

The following are some words you may hear when
French people are talking about the French
educational system. It is useful to know some of
them at least, especially when comparing the two
systems (viz. c'est l'équivalent de . . . en France; ce
qui correspond à . . . ; ce qui est (tout à fait)
différent du système français où . . . etc.).

Types of school:

les écoles publiques – State schools
les écoles privées – private schools
un internat – boarding school

l'école maternelle – infant school (2-6)
l'école | primaire – junior school (6-11)
          | élémentaire
l'école secondaire – secondary school (11-18)

The secondary schools comprise:

le collège
  school catering for the first four years of
  secondary education which is known as
  'première partie/premier cycle'

le C.E.S. (collège d'enseignement secondaire)
le C.E.G. (collège d'enseignement général)
  these are more or less equivalent to our com-
  prehensive schools.

le lycée
  school catering for a further three years of
  secondary education. It used to be the equivalent
  of our grammar school but is now more like a 6th
  form college.

le C.E.T. (collège d'enseignement technique)
  offers a further three years of secondary
  education with a technical bias. It is classed as a
  'lycée d'enseignement professionnel'.

Teachers:

le maître/la maîtresse
l'instituteur/l'institutrice
  teacher in an infant/primary school

le prof(esseur) (no feminine form)
  teacher in a secondary school

Headmasters:

le directeur – head of infant/primary school
le principal – head of 'collège'
le | proviseur – head of 'lycée'
    | censeur

Examinations:

le B.E.P.C. (brevet d'études du premier cycle)
  –general examination at end of the 4th form
  (la 3ème) in the 'collèges'.

le Baccalauréat (known familiarly as 'le bac' or
  'le bachot')
  –general examination at end of the 'second cycle'
  taken in the equivalent of the upper sixth ('la
  terminale').

le C.A.P. (certificat d'aptitude professionnelle)
le B.E.P. (brevet d'études professionnelles)
  –both exams can be taken at the end of the third
  year in a 'lycée d'enseignement professionnel' and
  are qualifications for those intending to have a
  career in industry and commerce on a practical
  level.

le C.F.E.S. (certificat de fin d'études)
  –this certificate is awarded to pupils who,
  although they did not pass the baccalauréat, had
  an average mark of between 8 and 10 out of 20.
  It is not a sufficient qualification for university
  entrance.

Discipline:

le surveillant général
  –more or less the equivalent of our deputy head.

les surveillants (known familiarly as 'les pions')
  –students who are responsible for the discipline
  of the pupils outside lesson time (breaks and free
  periods).

les heures de permanence
  (known familiarly as 'les heures de perme')
  –free periods which are timetabled for French
  children. If they fall at the end of the morning or
  afternoon session, the pupils may go home; other-
  wise they go to a special classroom where they
  can do their homework under the supervision of
  a 'surveillant'. If a teacher is absent, the same
  applies.

Pupils:

les externes – local children who go home for dinner
les demi-pensionnaires – children who stay to school
  dinners

les internes – boarders (frequent in the 'lycées')

Work:

le livret scolaire
  one of these record books is kept for each
  individual pupil; in it are recorded marks and
  teachers' comments. It follows the pupil through-
  out his/her school career.

le redoublement
  if a pupil is judged to be too young or not to have
  made sufficient progress, he/she has to repeat the
  year and is said to 'redoubler'.

General:

l'appel
  there is no 'registration group' in French schools.
  Each teacher calls the register at the beginning of
  the lesson. This is known as 'faire l'appel'.

la colle |
la retenue|
  detention; being put in detention would be
  expressed as 'J'ai été collé par X' . . . 'X m'a collé/
  m'a mis en retenue' . . . 'J'ai une heure de colle/
  retenue'.

---

2. **Clubs et activités: John et Yvonne parlent . . .**

— John, parlez-moi un peu des clubs et des activités
  qui vous sont offerts par l'école.
— Quand les cours sont terminés et aussi au cours de la
  pause-déjeuner on organise toutes sortes de clubs et
  de réunions. Malheureusement je ne peux pas assister
  aux clubs organisés après la classe car je dois prendre
  le car de ramassage à quatre heures. Mais le mercredi
  je vais au club de ping-pong pendant l'heure de midi.
  Je suis également membre du cercle français qui se
  réunit le lundi à midi et demi. A part ça il y a un tas
  d'autres clubs, par exemple le club d'échecs, la
  chorale, le club des philatélistes, le club de gymnast-
  ique, le club de guitare. Il y a également un club de
  couture, un club d'aéromodélisme, un club de
  marionettes et un club de judo. Il y en a d'autres
  mais leurs noms m'échappent pour le moment. Je
  joue dans la première équipe de football de l'école
  . . . Je suis gardien de but. Les matchs ont lieu le
  samedi matin ou l'après-midi, parfois chez nous,
  parfois à l'école contre laquelle on joue.
— Yvonne, vous êtes la cousine de John, n'est-ce pas?
  Vous avez onze ans et vous venez de débuter dans
  cette école. Dites-moi, est-ce que vous profitez, vous
  aussi, des clubs et des activités?
— J'habite assez près de l'école et je fais le trajet à pied.
  Je peux donc participer aux activités organisées
  après la classe. Je suis membre de la chorale et du
  club d'échecs.
— Vous êtes sportive?
— Oui, je m'intéresse beaucoup aux sports mais je
  n'aime pas tellement les sports d'équipe. Mon sport
  préféré est le judo. J'en fais depuis dix-huit mois à
  peu près. Je m'entraîne deux soirs par semaine. Je
  suis ceinture bleue.

? Quels clubs, quelles activités vous sont offerts par
  l'école?
  Quels clubs se réunissent au cours de la pause-
  déjeuner?
  Lesquels se réunissent après l'école?
  Y a-t-il un cercle français chez vous?
  Qui s'en occupe?
  A qui est-il destiné?
  Qu'est-ce qu'on y fait?
  Quelles équipes sportives y a-t-il chez vous?
  Dans quelles équipes jouez-vous?
  Quels sports d'équipe connaissez-vous?
  Quels sports individuels pouvez-vous nommer?
  Quels sports se pratiquent en plein air?
  Lesquels se pratiquent à l'intérieur?
  Si vous pratiquez un sport quelconque, où et quand
  vous entraînez-vous?
  Avec qui?

✗ Set out a timetable like the one below and fill it in with the various clubs and activities which your school offers during the dinner hour and after school:

	midi	quatre heures
lundi		
mardi		
mercredi		
jeudi		
vendredi		

	matin	apres-midi
samedi		
dimanche		

Using these notes complete the following:

Le lundi on offre . . . . . .
Le mardi il y a . . . . . .
Le mercredi on peut . . . . . .
Le jeudi il est possible de . . . . . .
Le vendredi on organise . . . . . .
Le samedi . . . . . .
Le dimanche . . . . . .

Explain where each of the clubs meets by following this model:

Le club de biologie se réunit dans un des laboratoires.
Le club d'échecs se réunit . . . etc.

Find verbs to describe what you do at these various clubs, using the model given:

Au club de couture on . . . . . .
A la chorale on . . . . . . etc.

◼ In order to describe your interests you can, of course, use **j'aime** + infinitive. But there is almost always a noun which corresponds to the verb and

you can use that in the following two structures:

je m'intéresse au . . . . . .
à la . . . . . .
à l' . . . . . .
aux . . . . . .

je suis passionné(e) par . . . . . .
attiré(e)

e.g. J'aime beaucoup nager = je m'intéresse à la natation.
J'aime monter à cheval = je suis passionné(e) par les chevaux.

Note also the expressions:

Le football m'intéresse
me fascine
me passionne
me plaît (beaucoup)
me captive

---

3. La discipline

Quelquefois, quand les cours ne sont pas intéressants, John et ses copains chahutent les profs. Certains de ses copains sont même insolents envers eux. Quand un prof ne se fait pas respecter, ils en profitent. Dans certaines classes ils crient et font des bêtises; quand le prof tourne le dos ils jettent des morceaux de craie, changent de place ou font de vilains tours au prof . . . c'est la foire! De temps à autres ils se battent entre eux dans les vestiaires ou dans la cour . . .
Quand ces choses arrivent, ils sont punis d'une façon ou d'une autre. On leur donne des lignes à faire ou du travail en plus. On les 'colle', c'est-à-dire on les garde pendant l'heure de midi ou après l'école. Le professeur lui-même ou le 'year tutor' – c'est-à-dire le professeur responsable de toutes les quatrièmes années – les réprimande.

Mais il existe aussi d'autres punitions. En cas d'insultes graves un élève peut recevoir un châtiment corporel; il peut être battu par le sous-directeur. Dans les cas les plus graves on peut être exclu de l'école pendant un certain temps . . . ou pour de bon! Mais ça arrive très rarement. Des 'prefects' – des 'élèves-responsables', pour ainsi dire – aident les profs à maintenir la discipline dans les couloirs et dans la cour.

? Combien de profs y a-t-il en tout chez vous?
Quelle proportion de profs sont des femmes?
Combien de langues vivantes est-ce qu'on enseigne chez vous? Lesquelles?
Et le latin?
Quelle est votre matière préférée? Pourquoi?
Laquelle vous déplaît le plus? Pourquoi?
Quelles autres matières est-ce qu'on y enseigne?
Avez-vous déjà été puni?
Quel genre de punition était-ce?
Pourquoi est-ce qu'on vous a puni?
Avez-vous déjà dû faire des lignes?
Qu'est-ce qu'on vous a fait écrire comme lignes (en anglais et en français)?
Est-ce qu'on a déjà fait un vilain tour à un prof chez vous?
Racontez ce qu'on a fait.
Comment est-ce qu'il a réagi?
Est-ce qu'on a découvert le/la/les coupable(s)?
Qu'est-ce qu'on lui/leur a fait?
Est-ce qu'on peut recevoir un châtiment corporel chez vous?
Qu'en pensez-vous?
Quelle est à votre avis la punition la plus efficace?
Et la moins efficace?

X Make a list of the sort of teachers you have at your school by using the following model:
Chez nous il y a des profs de langues.
Chez nous on a . . . . . .

Prepare notes about your timetable by using phrases such as:
Le lundi matin on . . . . . .
Le mardi après-midi on . . . . . .
Le mercredi, avant la récréation, on . . . . . .
Le jeudi, après la récréation, on . . . . . .
Le vendredi, après la pause-déjeuner, on . . . . . .

Complete the following sentences:
Chez nous, si on surprend un élève à fumer, on . . . . . .
Si on surprend un élève à faire des graffiti, on . . . . . .
Si un élève 'oublie' de faire ses devoirs, on . . . . . .
Si un élève dessine sur son cahier, on . . . . . .
Si un élève fait des bêtises pendant les cours, on . . . .
Si deux élèves se battent, on . . . . . .

Make the above sentences into hypothetical situations by using the imperfect combined with the conditional tense:
Chez nous, si on *surprenait* un élève à fumer, on
| *confisquerait* les cigarettes
| lui *donnerait* des lignes à faire, etc.

◀ If you can't think of a noun to use (or if there isn't one) in answer to questions like . . .
Quelle punition | vous déplaît le plus?
| trouvez-vous | cruelle?
| | bête
| | injuste

. . . you can use an infinitive. Look at the following answers:

Un châtiment corporel | (noun)
Être collé | (infinitive)
Être réprimandé |
Être battu |
Avoir à faire des lignes |

13

Fractions and proportions

The following examples will show you how to express fractions and proportions in questions such as:

Combien de ... | sont ...?
Quelle proportion de ... |

La moitié | des élèves sont ...
Le tiers |

Le quart des parents sont ...
Dix pour cent des étudiants sont ...

Words for which there is no French equivalent

Since French schools do not have prefects as such, we have either to use the English word or find a phrase which describes their role: 'élève-responsable' seems to express the idea. When there is no real French equivalent for a word, there is nothing wrong with using the English word, but it is much better to qualify it in some way in French also:

Le 'registration teacher' – *c'est-à-dire* le prof qui fait l'appel – nous accompagne à l'assemblée.
Si on a des problèmes, on va voir *ce qu'on appelle en anglais/chez nous* le 'year tutor' – *c'est-à-dire* le prof qui est responsable de tous les élèves de notre année.

When you have to express how often something happens, the following adverbs are useful:

quelquefois
parfois
de temps à autre
de temps en temps
(assez) | souvent
(très) |
(assez) | rarement
(très) |
(presque) | jamais
(pratiquement) |
tous les jours
chaque jour

toutes les cinq minutes
fréquemment

---

4. **Conversation avec un 'prefect'**

– Est-ce que vous aimez être 'prefect', 'élève-responsable'?
– Pas particulièrement.
– Pourquoi dites-vous cela?
– Et bien, les élèves de cinquième qui ne le sont pas pensent que nous sommes des 'lécheurs' – ça veut dire que nous sommes aux pieds des profs. Certains nous taquinent; d'autres sont plutôt désagréables envers nous. Même certains parmi les plus jeunes élèves sont souvent grossiers et ne font pas ce qu'on leur dit.
– Est-ce que les profs apprécient votre travail?
– Dans l'ensemble, oui. Mais quand il arrive des histoires, ils nous sermonnent et nous grondent.
– Est-ce qu'il y a d'autres inconvénients?
– Oui. Nous avons plein de responsabilités et très peu de temps libre pour nous.
– Quel genre de responsabilités?
– Principalement la surveillance de certains endroits dans l'école, par example les vestiaires, les couloirs, les W.C. Nous surveillons de près les bagarres et les actes de vandalisme. Nous empêchons les élèves d'aller dans certains endroits. Nous leur faisons emprunter le système de sens unique, la bonne cage d'escalier, et cétera ...
– Bref, vous n'aimez pas ce travail.
– Non, ce n'est pas très amusant!
– Avez-vous le droit de les punir en tant qu'élève-responsable?
– Très légèrement seulement. Nous les envoyons au piquet ou nous leur faisons ramasser les papiers qui traînent dans les classes et dans la cour. Nous pouvons leur donner des lignes à faire mais ça ne

sert à rien . . . ils ne les font pas et ça donne
trop de travail de les vérifier.

? Est-ce que vous êtes 'élève-responsable'?
Depuis quand?
Quelle attitude les profs ont-ils envers vous?
Est-ce qu'on vous a invité à le devenir ou n'aviez-vous pas le choix?
Quel est votre rôle en tant que 'responsable'?
Pendant combien de temps êtes vous 'en service' chaque jour?
Quand ça?
Quels endroits préférez-vous surveiller?
Est-ce que cela dépend de la saison/du temps?
Pourquoi?
Si vous surprenez un(e) élève à faire des bêtises, quelles punitions avez-vous le droit de lui donner?
Qu'est-ce qui distingue les 'responsables' des autres élèves?
Y a-t-il des endroits où les élèves n'ont pas le droit d'aller?
Où ça?
Est-ce qu'on commet (souvent) des actes de vandalisme chez vous?
De quel genre?
Avez-vous un système de sens unique chez vous?
Pourquoi à votre avis a-t-on établi ce système?

X In the dialogue the prefect used the pronoun **nous** to refer to himself and his fellow prefects. Read through his part of the dialogue, changing this in each case to the third person **on**.

Explain the advantages and disadvantages of being a prefect (or a school librarian/a fifth year/a teenager) by using the following phrases:

un	
l'	avantage c'est que . . .
un autre	

un	
l'	inconvénient c'est que . . .
un autre	

le bon côté de la chose c'est que . . .
le mauvais côté de la chose c'est que . . .

To show the teachers' attitude towards you the following phrases are useful:

Certains	nous aident	
D'autres	nous appuient	
Les uns	nous apprécient	
Les autres	nous en veulent	
Plusieurs d'entre eux	nous ignorent	
Beaucoup d'entre eux	nous traitent	bien
La plupart d'entre eux		mal
Une minorité	se servent de nous	
La majorité		

To show other pupils' attitudes towards you, the following phrases are worth learning:

Certains (etc., as above)	nous respectent		
Les plus jeunes	nous taquinent		
Ceux de	nous posent des problèmes		
première / deuxième année	nous causent des ennuis		
Les plus âgés	nous font des histoires		
Ceux de notre âge	nous cassent la tête		
	nous embêtent		
	nous obéissent		
	refusent de nous obéir		
	sont casse-pieds		
	sont	polis / impolis / grossiers	envers nous

When talking about what you make other people do or prevent them from doing, the following structures should be used:

On les fait + infinitive
On leur fait + infinitive + noun

On les empêche de + infinitive

e.g. On les fait entrer par la bonne porte
     On leur fait ramasser des papiers
     On les empêche de courir dans les couloirs

Instead of always using **beaucoup de** . . . to express 'a lot of ', there are also the following alternatives:

plein de . . .
pas mal de . . .
un ⎫ tas de . . .
des ⎭

---

5. **Entretien avec une enseignante**

— Aimez-vous enseigner ici?
— Dans l'ensemble, oui.
— Quels sont les avantages?
— L'ambiance est amicale dans la salle des profs et nos rapports avec les élèves sont amicaux et détendus. La majorité de nos élèves sont bien-elevés et se tiennent bien en classe. Quelques classes sont paresseuses, bien entendu, mais dans une école importante comme celle-ci, il faut s'attendre à ça.
— Quels sont les désavantages?
— Les bâtiments sont vieux et trop petits pour le nombre d'élèves. Les couloirs sont trop étroits et vous vous faites presque renverser par les élèves.
— Est-ce qu'il y a des problèmes de vandalisme?
— Ça dépend des moments. Il y a parfois des graffiti sur les murs des W. C., des livres abîmés, des porte-manteaux de cassés dans les vestiaires, mais dans l'ensemble on ne peut pas se plaindre. La chose qui m'embête c'est la quantité de papiers que les élèves laissent traîner partout: des paquets de chips, des papiers d'emballage de bonbons et même des gobelets en plastique; c'est vraiment dégoûtant. Et les profs ne font pas mieux!
— Quelle est la chose la plus agréable dans l'enseignement?
— Les vacances!

? Comment sont les bâtiments de votre école?
Comment est l'ambiance dans l'école?
Comment sont vos rapports avec les profs?
De quoi est-on particulièrement fier chez vous?
De quoi est-ce qu'on a honte?
Qu'est-ce que les élèves laissent traîner par terre chez vous?
Où est-ce que ça se fait le plus souvent?
Qu'est-ce que vous en pensez personnellement?
Y a-t-il un distributeur de boissons chez vous?
Qu'est-ce qu'on peut y obtenir?
Qu'est-ce qu'on devrait faire avec les gobelets?
Est-ce que tout le monde le fait en fait?
Sinon, qu'est-ce qu'on en fait?
Y a-t-il des graffiti chez vous?
Où ça?
Qui en est responsable?

X Below you have a list of methods of learning a foreign language. By using these phrases, explain the methods which have or have not been used to teach you French:

On (n') a (pas) + past participle
On (n') a (pas) dû + infinitive
On (ne) nous a (pas) fait + infinitive

e.g. On a chanté des chansons françaises
     On n'a pas chanté *de* chansons françaises
     On a dû chanter des chansons
     On n'a pas dû chanter *de* chansons
     On nous a fait chanter des chansons
     On ne nous a pas fait chanter *de* chansons

suivre un cours audio-visuel
faire des exercices au labo
écrire des exercices
regarder des ⎫ diapositives
            ⎪ films
            ⎭ émissions de télévision

écouter des | bandes magnétiques
| disques
| des émissions de radio

parler avec l'assistant(e)
répéter des phrases en choeur
jouer des pièces
répondre à des questions
traduire des textes

Explain how good or bad you are at various subjects by using the structure and expressions below:

Je suis . . . . . en . . . . . .

très fort(e)
fort(e)
assez fort(e)
pas tellement fort(e)
moyen(ne)
un peu faible
assez faible
extrêmement faible
nul(le)

Explain your likes and dislikes about school (or life generally) by using these expressions:

Ce qui me plaît le plus | c'est . . . . . .
| ce sont . . . . . .

Ce qui m'embête | c'est . . . . . .
| ce sont . . . . . .

Ce que je trouve le plus | agréable | c'est . . . . . .
| dégoûtant | ce sont . . . . . .
| | c'est que . . . . . .

■ Note that instead of using the word **grand** it is possible in certain cases to use **nombreux** or **important**:

C'est une école assez importante.
Cela a coûté une somme importante.

C'était un groupe | important
| nombreux

C'est une famille | nombreuse
| importante

C'est | une ville importante
| un village important

The following vocabulary will be useful when you have to describe buildings:

en | bois
| brique
| verre
| aluminium
| béton

(pas) solide
(pas) confortable
(pas) pratique
petit
grand
spacieux
large
étroit
bien chauffé
plein de courants d'air

That depends on . . .

Learn the following examples:

Ça dépend | du jour
| de la saison
| du temps qu'il fait
| de mes parents
| du prof
| des profs
| de ce que dit mon père

---

6. **Interview avec le responsable des jeunes**

— Quand est-ce que vous vous occupez du club des jeunes?
— C'est ouvert tous les soirs. Mais nous avons cinq groupes d'âges différents. Les premières années

viennent le lundi, les deuxièmes années le mardi et
ainsi de suite.
— A part vous, qui s'occupe du club?
— Un ou deux parents et des anciens élèves.
— Que proposez-vous aux jeunes?
— Ils peuvent jouer aux fléchettes, au baby-foot, au
ping-pong. Nous avons diverses machines à sous. Il
y a aussi un juke-box.
— Peuvent-ils se procurer des rafraîchissements?
— Certainement. Il y a un bar où ils peuvent acheter du
café, des boissons froides ou chaudes, des chips, des
biscuits au chocolat et d'autres friandises du même
genre.
— Ont-ils le droit de danser?
— Oui. Ils dansent sur la musique du juke-box, et deux
samedis par mois ils organisent une boum – une
'disco', comme on dit en anglais. L'entrée coûte
trente pence et ils dansent sur les derniers succès à
la mode – les 'tubes' – et aussi les vieux airs connus –
les 'golden oldies', comme on dit. Quelques
cinquièmes années ont leur propre équipement pour
les boums – platines, amplificateurs, baffles et spots.
Les gosses s'amusent vraiment bien!
— Vous organisez des excursions?
— Oui. On en organise de temps en temps.
— Tous les combien?
— Les petites sorties – au cinéma, à la patinoire, à
la piscine – toutes les deux semaines. Les grandes
excursions, comme au théâtre à Londres, moins
fréquemment . . . disons, tous les deux mois. Ce
n'est pas seulement l'entrée qu'il faut compter . . .
il y a aussi le coût du transport qui devient de plus
en plus cher.

? Est-ce que vous êtes membre d' | une maison de
jeunes?
un club de jeunes?

Combien de fois par semaine est-ce qu'on s'y
rencontre?
Quels soirs y allez-vous?

Combien de membres y a-t-il en tout?
Est-ce qu'on vous a divisés en groupes d'âges
différents?
A partir de quel âge a-t-on le droit d'y aller?
Jusqu'à quel âge?
Est-ce qu'il faut payer l'entrée ou est-ce gratuit?
Qui organise et qui s'occupe du club?
Est-ce que tout se déroule sans problèmes?
Sinon, qu'est-ce qui arrive pour gâcher vos soirées?
Qu'est-ce qu'on vous offre comme jeux et
distractions?
Y a-t-il un bar?
Quelles friandises y vend-on?
Est-ce qu'on organise aussi des excursions?
Tous les combien?
Où?

Quelle est la chanson la plus populaire en ce
moment?
Est-ce que vous êtes d'accord?
Est-ce qu'elle est chantée par | un chanteur?
une chanteuse?
un groupe?

Préférez-vous les groupes, les chanteurs individuels
ou la musique orchestrale?
Préférez-vous les chanteurs anglais ou américains?
Et les chanteuses?
Et les groupes?
Connaissez-vous des chanteurs français? des
chanteuses françaises? des groupes français?

Quel est votre | chanteur | préféré(e) en ce moment?
chanteuse
groupe

L'avez-vous vu(e) en tournée?
Où ça? Quand?
Est-ce qu'il était difficile d'obtenir des places au
théâtre?
Combien avez-vous dû payer les places?
Y êtes-vous allé(e) tout(e) seul(e)?
Quelle danse fait fureur en ce moment?

Pouvez-vous décrire comment on la danse?
Du point de vue de la musique, quelle est la différence entre la 'disco', qui est un phénomène assez récent, et le 'bal' traditionnel?

Jouez-vous d'un instrument de musique?
De quoi?
Comment jouez-vous?
Depuis quand en jouez-vous?
Quand répétez-vous?
Tous les combien?
Avez-vous un prof?
Y a-t-il quelqu'un qui | vous enseigne?
                      | vous apprend à en jouer?

X You will by now have noticed the difference between.

jouer à + game
jouer de + instrument

Make up a number of sentences about yourself, members of your family or your friends using games and instruments from the list given. Note that they are deliberately mixed up!

Mon père	joue	du . . . . . .
Mon copain		de la . . . . . .
Ma cousine		de l' . . . . . .
Je		des . . . . . .
		au . . . . . .
		à la . . . . . .
		à l' . . . . . .
		aux . . . . . .

la guitare/les boules/le monopoly/l'accordéon/le bridge/le golf/l'harmonica/l'orgue/le ping-pong/la trompette/les fléchettes/le violon/les échecs/les cartes/le piano/le hockey

Talk about the performances of certain musicians and sportsmen and sportswomen by using the expressions below:

Je pense que X joue | formidablement bien

de façon excellente
vraiment bien
très bien
assez bien
bien
pas mal/pas trop mal
passablement
mal
très mal
de façon médiocre
lamentablement

Give your opinion about certain film stars, pop stars or groups by using the expressions below:

J'aime	X.	Je	le trouve	sensationnel(le)(s)!
J'adore			la	sensas!
			les	formidable(s)!
				chouette(s)!
				extra!
				genial(e)(s)/géniaux!
				super!

Je n'aime pas du tout X.	Je	le trouve	lamentable(s)
		la	bête(s)
		les	décevant(e)(s)
			pénible(s)
			atroce(s)
			ridicule(s)
			horrible(s)

Use some of the above expressions to give your opinion of various kinds of music such as:

la musique classique
le jazz | moderne
        | traditionnel
la folk-musique
la musique pop en général
la musique de film
la musique de variété
le 'rock'
le 'blues'
le 'punk' (or whatever is the latest craze!)

Practise the use of **de plus en plus** + adjective by completing the following sentences:

Les disques de X deviennent de plus en plus . . . . .
L'école devient de plus en plus . . . . . .
Le travail devient de plus en plus . . . . . .
Les examens deviennent de plus en plus . . . . . .
Les émissions de télévision deviennent de plus en plus . . . . . .
Les cours deviennent de plus en plus . . . . . .

Now repeat these by using **de moins en moins** + adjective, with an adjective opposite in meaning to the one you used before.

When you want to explain how often something happens (especially in answer to the question **tous les combien** . . . ?), the following expressions are useful:

tous les	lundis
	matins
	après-midi
	soirs
	lundi matins
	samedi après-midi
	dimanche soirs
	week-ends
	mois
	ans
	deux jours
	deux mois
	deux ans

| toutes | les semaines |
| | les deux semaines |

une	fois par	jour
deux		semaine
trois		mois
		an

Note that the verb **apprendre** can mean both 'to learn' and 'to teach'. The following examples illustrate this:

J'apprends le français.
apprendre + noun
J'apprends à jouer de la guitare.
apprendre à + infinitive
Mon père m'apprend à jouer aux échecs.
apprendre à + person + **à** + infinitive

7.   **Trouver un boulot – un garçon de cinquième parle . . .**

— Voulez-vous continuer vos études?
— Non. J'en ai assez d'étudier. Je vais chercher un boulot dès que les examens seront terminés.
— Savez-vous déjà ce que vous allez faire?
— Non. Je ne sais pas au juste; mais j'aimerais que ce soit plutôt au grand air. Je ne supporterais pas d'être enfermé toute la journée dans un bureau. J'aimerais bien travailler dans une ferme en contact avec des animaux ou sur un terrain de golf ou dans les forêts comme garde forestier – quelque chose comme ça m'intéresserait, je crois.
— Vous n'allez pas dans les classes supérieures, alors?
— Ça, non! Je ne veux pas passer encore deux ans ou plus avec seulement quelques livres d'argent de poche par semaine. Je veux pouvoir acheter des vêtements, des disques, une moto. Quand j'aurai l'âge, je prendrai des leçons de conduite et quand j'aurai mon permis, j'achèterai une vieille bagnole. Mes parents ne pourraient pas me payer tout ça si je ne travaillais pas.
— Il y a beaucoup de chômeurs dans le pays en ce moment; est-ce que cela ne vous inquiète pas un peu?
— Si . . . mais ça va changer . . . il va se passer quelque chose . . . Sinon, j'irai à l'étranger. Je ferai le tour du monde en stop ou quelque chose d'aussi dingue que ça!
— Quel est selon vous le pire des métiers . . . le métier

le plus désagréable?
— Un travail en milieu fermé . . . et faire la même chose tous les jours. Ça me rendrait fou!!

? Quand avez-vous l'intention de finir vos études?
Qu'est-ce que vous espérez devenir?
Pourquoi est-ce que ce métier vous intéresse?
Quels métiers se font au grand air? (Donnez au moins 6 exemples.)
Lesquels s'effectuent en milieu fermé? (Donnez au moins 6 exemples.)
Qu'est-ce qu'un chômeur?
Aimeriez-vous travailler à l'étranger plutôt qu'ici? Pourquoi?
Quels sont les avantages et les inconvénients d'un poste à l'étranger?
Dans quel pays aimeriez-vous travailler?
Expliquez votre choix.
Si vous pouviez choisir n'importe quel métier, lequel choisiriez-vous?
Pourquoi celui-là?
Comment peut-on apprendre à conduire?
Combien de temps faut-il en moyenne pour avoir son permis?
Avez-vous déjà fait du stop?
Où êtes-vous allé comme ça?
Quelles personnes vous ont emmené?
Qu'est-ce qu'elles conduisaient?

X Complete the following sentences by adding phrases in the infinitive as indicated in the model. They will then express your views about certain types of work:

Passer la journée entière au volant . . .

| me rendrait fou
| m'ennuyerait
| m'énerverait
| m'intéresserait
| m'exciterait
| ne me dirait pas grand'chose
| me plairait

Add different jobs to these sentences. They will then express your views on certain jobs:

L'idée	de devenir	me sourit
	d'être	ne me sourit pas
		me plaît
		ne me plaît pas tellement
		me tente
		m'attire
		me dégoûte
		ne me dit rien

■ There are several ways of asking what job someone wants to do and several ways of answering. The following may be useful to know:

Que voulez-vous devenir?
Que voulez-vous faire dans la vie?
Quel métier voudriez-vous faire?
A quelle carrière vous destinez-vous?
Quel genre de travail espérez-vous faire?
Avez-vous choisi votre futur métier?

Je voudrais être . . .

J'aimerais	devenir . . .
J'espère	
J'ai l'intention de	
C'est mon ambition de	

| Je voudrais travailler | comme . . . |
| | en tant que . . . |

Note the following expressions which are like **n'importe quoi**:

Qu'est-ce que voulez faire comme travail? **N'importe quoi.**
Qui peut faire un tel travail? **N'importe qui.**
Où voulez-vous travailler? **N'importe où.**
Quand voulez-vous commencer? **N'importe quand.**
Dans quelles villes peut-on trouver des postes pareils? Dans **n'importe quelle** ville.
Comment est-ce qu'on trouve un poste comme ça? **N'importe comment.**

8. L'enseignement supérieur – une fille de cinquième parle . . .

— Vos examens vous préoccupent pour le moment, mais quand ils seront terminés, qu'est-ce que vous comptez faire?

— Tout d'abord je veux passer six semaines loin des livres, des examens, de l'école; je veux les oublier complètement.

— Qu'est-ce que vous avez l'intention de faire exactement?

— Je vais travailler pendant un mois en France dans un vignoble afin de gagner de l'argent de poche. Ensuite j'irai en Allemagne voir la correspondante que j'ai eue lors des échanges entre mon école et la sienne.

— Partirez-vous en vacances avec vos parents?

— Non, pas cette année.

— Et quand vous reviendrez?

— Il n'y a pas de classes supérieures dans cette école. Je dois donc aller au 'sixth form college', au 'centre d'enseignement supérieur', pour ainsi dire. Ça correspond plus ou moins au lycée français. J'irai là-bas pendant les deux années de sixième et je préparerai trois sujets pour l'examen terminal qu'on appelle chez nous 'G.C.E. A level'. Si j'obtiens de bonnes notes à la fin de ces deux années, j'irai à l'université pendant trois ou quatre ans afin d'avoir ma licence. J'espère être un jour licenciée en droit.

— Pensez-vous que ça augmentera vos chances d'avoir un métier?

— Je pense bien. En tout cas je voudrais être avocate; il me faudra une licence.

— La pensée d'avoir à étudier pendant encore cinq ou six ans ne vous décourage-t-elle pas?

— Si, un peu . . . mais j'y parviendrai progressivement.

? Combien de séries d'examens avez-vous dû passer depuis que vous êtes dans cette école?

Vous avez passé une série d'examens tous les combien à peu près?

En combien de matières passez-vous les examens du G.C.E?

Combien de matières présentez-vous pour le C.S.E?

Lesquelles pensez-vous avoir?

Lesquelles pensez-vous rater?

Espérez-vous | suivre vos études dans les classes terminales?

passer en (classe) terminale?

Sinon, savez-vous | où | vous allez travailler?
| chez qui |

Y a-t-il des classes supérieures chez vous ou est-ce qu'il faut aller dans un centre spécial?

Et après l'examen terminal voudriez-vous aller à l'université/à l'école normale/dans une école préparatoire?

Qu'avez-vous l'intention de faire pendant les vacances avant le commencement des classes supérieures?

Si vous allez quitter l'école pour trouver un emploi, combien de semaines de vacances allez-vous passer avant de débuter?

Partez-vous toujours en vacances avec vos parents?

Sinon, avec qui partez-vous?

Êtes-vous déjà fiancé(e)?

Pensez-vous vous marier un jour?

A quel âge, de préférence?

X Answer the following questions using either **déjà** or **pas encore**. You should answer in complete sentences. Note that **du/de la/de l'/des/un/une** change to **de/d'** after a negative: Je n'ai pas encore | de . . . . . . (s)
| d' . . . . . .

Est-ce que vous | êtes allé aux Etats-Unis?
| êtes en (classe) terminale?
| avez choisi votre carrière?
| avez lu un roman français?
| avez vu un film français?
| avez un vélomoteur?
| avez obtenu des certificats?

avez travaillé à l'étranger?
avez passé l'examen écrit de français du G.C.E?
avez appris à taper à la machine?

React to the following questions or statements using as appropriate **oui** or **si**. Answer in full sentences:

Vous avez un bon prof de français, alors?
Vous n'allez pas travailler pendant les vacances donc?
Vous avez un(e) correspondant(e) français(e)?
Vous n'aimez pas le français, alors?
Vous connaissez un acteur français?
On ne fait pas de sports chez vous, alors?
Vous n'êtes jamais allé à Londres?
Vous ne voulez pas aller à l'université, paraît-il?
Le français, vous ne trouvez pas ça difficile?
Le français est plus difficile que les maths selon vous, alors?

Explain the qualities or qualifications necessary for certain jobs by using the following model. Think of 10 examples:

Pour | être | (name of job) **il faut** | + infinitive
         | devenir | | + noun

e.g. Pour être prof il faut | avoir énormément de patience!
                            | être incroyablement intelligent!
                            | beaucoup d'intelligence!

The following vocabulary is important for the discussion of examinations, tests and the like:

Taking the examination . . .
passer | un examen
           | un certificat
           | un brevet
           | un diplôme
           | son permis de conduire

Passing the examination . . .
être reçu à l'examen
réussir à l'examen
obtenir | un certificat
            | un brevet
            | un diplôme

Failing the examination . . .
rater un examen, etc.
échouer à un examen

Other useful vocabulary:

une licence | de
            | en . . .
suivre un cours/des cours
suivre des cours du soir
faire un stage
les cours de perfectionnement
une formation professionnelle
réussir à l'examen du G.C.E. dans huit matières

Reports

On their reports (les bulletins trimestriels) French pupils are given grades (des notes/des mentions) which correspond to our A/B/C/D/E grades. Theirs are as follows:

excellent/très bien/bien/assez bien/encourageant/passable/médiocre

The comments written by the teachers are called **les remarques** or **les commentaires**.

First year, second year . . .

The French system of 'years' is the reverse of ours:

1st Year	la 6ème/en 6ème
2nd Year	la 5ème/en 5ème
3rd Year	la 4ème/en 4ème
4th Year	la 3ème/en 3ème
5th Year	la seconde/en seconde
Lower Sixth	la première/en première
Upper Sixth	la terminale/en terminale

It doesn't really matter which of these you use (first

years could be described as 'les sixièmes années' or 'les premières années') provided that you are consistent. If confusion arises, a short explanation will clarify the situation:

... les premières années,
| c'est-à-dire les plus jeunes élèves ...
| comme on dit ici ...

... à cette époque j'étais en première,
| selon le système anglais.
| ce qui correspond à la 6ème en France.

The two sixth form years can be referred to collectively as **les classes supérieures**.

9. La description d'une maison, d'un jardin

— Pouvez-vous me décrire votre maison?
— Certainement, monsieur. Quand vous entrez par la porte principale il y a un hall. Sur votre gauche il y a une porte menant à la cuisine, et en face de vous il y en a une autre menant au salon-salle à manger. Ce sont les seules pièces au rez-de-chaussée. Sur la droite il y a un escalier conduisant à l'étage supérieur. Nous avons trois chambres à coucher et il y a aussi une salle de bain et un W.C. Il y a des placards à différents endroits de la maison. Dans la cuisine il y a un garde-manger et à l'étage supérieur il y a aussi un placard à linge.
— Et votre jardin?
— Il y a une pelouse devant. Nous avons un parterre de fleurs avec des roses au centre de la pelouse ...
— Avez-vous un jardin derrière la maison?
— C'est-à-dire, nous avons un genre de cour, une bande de gazon et le séchoir à linge. Puis il y a une petite haie et le jardin potager. Il y a une petite serre et une remise pour les outils de mon père.
— Et pour les bicyclettes, sans doute?
— Non. Nous mettons nos vélos dans le garage avec la voiture.

— Quel genre de voiture avez-vous?
— Une Datsun.
— Ce n'est pas très patriotique, n'est-ce pas?
— C'est vrai ... mais mon père préfère les voitures étrangères, surtout les japonaises!

? Quel genre d'habitation avez-vous?
Combien de pièces y a-t-il chez vous au rez-de-chaussée?
Lesquelles?
Et au premier étage?
Lesquelles?
Combien de placards avez-vous?
Expliquez où ils sont et ce que vous y mettez.
Avez-vous un sous-sol? un grenier? une cave?
Qu'est-ce que vous y gardez?
Avez-vous un jardin?
Où se trouve-t-il par rapport à la maison?
Qu'est-ce qu'on y cultive?
Qui s'en occupe d'habitude?
Est-ce que vous êtes vous-même amateur* de jardinage?
Y avez-vous une balançoire?
Est-ce que votre père a une serre?
Qu'est-ce qu'il y cultive?
Est-ce que votre famille possède une voiture?
Y a-t-il un garage incorporé dans la maison?
Sinon, où garez-vous la voiture?
Quelle marque de voiture avez-vous?

X Imagine that you are explaining the lay-out of your house/flat to a French person. Use the following model as a guide:

Quand vous entrez par la porte d'entrée principale il y a | ...... | droit devant vous
à votre gauche/sur votre gauche
à votre droite/sur votre droite
| une porte menant à ......
En haut de l'escalier il y a ......

---

*Note that the word *amateur* has no feminine form.

You will no doubt have noticed that makes of car in French are all feminine:

la/une Ford; la/une Datsun; la/une Renault

Here is a list of cars, some British and some foreign. Explain where they come from by basing your answers on the following model:

La Renault | vient de France
| est une voiture française

La Citroën	La Daf
La Mini	La Simca
La Chevrolet	La Volkswagen
La Fiat	La Volvo
La Honda	La B.M.W.
La Moskvitch	La Cadillac
La Skoda	La Mazda
La Seat	La Lada

Do you know any others? If so, give examples.

The following vocabulary may be useful when speaking about your garden:

une terrasse
un | appentis
| hangar
une remise
un bassin à poissons rouges
une pelouse
une piscine
une serre
un jardin alpin
un jardin potager
des parterres de fleurs
une fontaine
un banc
des buissons
un arbre (fruitier)
un pommier/un poirier/ un prunier/un cerisier
un noisetier
une tondeuse

une corde à linge
un séchoir à linge

---

10. **La description d'un lotissement**

— Où habitez-vous? Tout près d'ici?
— Non, à cinq kilomètres à peu près.
— Dans quelle direction?
— Vers Bristol. J'habite juste dans la banlieue à la sortie de la ville. Nous habitons dans un grand ensemble, un grand lotissement. Il date d'environ six ans et nous avons acheté une maison neuve. J'avais alors dix ans. Avant nous habitions dans le nord de l'Angleterre à côté de Liverpool, dans une maison louée.
— Pourquoi avez-vous déménagé?
— Eh bien, mon père a perdu son travail; alors nous sommes venus habiter dans le sud.
— Ce lotissement, pouvez-vous me le décrire?
— Il y a à peu près 800 maisons en tout; trente rues, avenues et culs-de-sac. Il y a différents types de constructions. D'abord des 'bungalows', c'est-à-dire des maisons de plain-pied. Puis des pavillons individuels que nous appelons en anglais 'detached houses'. La plupart des maisons sont des 'semi-detached houses', des 'maison-jumelles', pour ainsi dire. Puis il y a des 'town houses', des rangées de plusieurs maisons, toutes les mêmes. C'est une maison de ce genre-là que j'habite, moi. Les jardins ne sont pas clôturés . . . il n'y a ni palissades ni haies ni portails. Il y a juste des pelouses devant les maisons, des allées, et un muret entre les jardins et la rue.

? Depuis quand habitez-vous la même maison/le même appartement?
Où habitiez-vous avant?
Pourquoi avez-vous déménagé?
Combien de fois avez-vous déménagé dans votre vie?

Combien de fois avez-vous dû changer d'école?
Dans quelle région du Royaume-Uni habitez-vous?
Avez-vous des parents qui habitent ailleurs?
Dans quelle région habitent-ils?
Est-ce que vous leur rendez visite?
Tous les combien?
Comment y allez-vous?
Quelles régions du Royaume-Uni avez-vous déjà visitées en vacances?
Quelle est pour vous la plus belle région de la Grande Bretagne?

X Practise the use of the negative **ne . . . ni . . . ni . . .** by answering the following questions. After the negative sentence add a follow-up sentence:

Vous avez des cousins ou des cousines?
Y a-t-il un cinéma ou une piscine près de chez vous?
Vous avez été en France ou en Allemagne?
Est-ce que vous parlez italien ou espagnol?
Aimez-vous le jazz ou la folk-musique?
Avez-vous un(e) correspondant(e) allemand(e) ou français(e)?
Vous avez vu la tour Eiffel ou l'Arc de Triomphe?
Vous avez une Citroën ou une Renault?

Practise the use of **visiter** + place and **rendre visite à** + person by filling in the following gaps with the appropriate verb in the appropriate tense:

J'espère . . . . . . les Etats-Unis un jour.
L'an dernier j'ai . . . . . . un ancien copain dans le Devon.
Je n'ai pas grande envie de . . . . . . la France.
Je vais . . . . . . mes grands-parents pendant les vacances.

| Je . . . . . . | mon correspondant français | un jour. |
| | ma correspondante française | |

■ You have had some expressions before to explain where you live or where a certain place is; here are some more:

dans le centre de la ville/en plein centre ville
à la sortie de la ville
dans la (proche) banlieue
hors banlieue
en pleine campagne
au nord de la ville, etc.

The following expressions will be useful for discussing regions:

J'étais	dans	l'est (de la France)
J'habitais		l'ouest
On séjournait		le nord
		le sud
	sur l'Ile de . . .	
	sur la côte sud (de l'Angleterre)	

In the text it was necessary to describe English types of houses rather than to translate them. Here are some words which the French use to describe their houses and other dwellings:

un logement
un appartement – flat
une H.L.M (Habitation à loyer modéré) – council flat

| une villa | – detached house of some elegance |
| une pavillon | |

une chaumière – country cottage (possibly thatched)
un duplex – self-contained flat on two levels
un studio – bed-sit with own kitchen and/or bathroom
un chalet – small, detached, alpine-style house made of wood
une maisonnette – small house
une fermette – small farm
une résidence secondaire – second home of some elegance
un pied-à-terre – place used only occasionally (holidays etc.)

11. Les passe-temps – un garçon parle . . .

— Parlez-moi un peu de vos passe-temps . . . de ce qui vous intéresse.

— Quand j'étais beaucoup plus jeune, je collectionnais toutes sortes de choses: des boîtes d'allumettes, des pièces de monnaie étrangère, des cartes offertes dans des paquets de thé, et, bien entendu, des timbres. Je dois en avoir presque deux mille en tout. Maintenant je ne les regarde même plus . . . à vrai dire je ne sais même pas où est l'album. Il doit être quelque part chez moi dans mes affaires . . . au fond d'un tiroir, peut-être, ou dans le grenier. Puis, une fois plus âgé, je me suis intéressé aux maquettes. D'abord c'étaient les trains . . . j'avais un chemin de fer électrique dans ma chambre avec une gare, plusieurs voies, des locomotives et des voitures. Je l'ai vendu récemment. Ensuite je suis passé aux maquettes d'avions en bois de balsa. Maintenant je ne m'y intéresse plus . . . j'en ai donné quelques-unes à mon frère cadet . . . les autres ont été cassées et on les a jetées à la poubelle!

— A quoi vous intéressez-vous en ce moment?

— Je m'intéresse aux motos. Je suis encore trop jeune pour en posséder une . . . mais j'en ai un tas sur photos et sur posters. Quand j'aurai seize ans, j'achèterai un vélomoteur . . . je suis déjà en train d'économiser. Mon père m'a promis de payer la moitié si je mets le reste de côté. Quand j'aurai dix-sept ans je me payerai une vraie moto . . . probablement une japonaise de 250 centimètres cubes. J'aurai une bagnole un jour, sans doute . . . mais pour le moment je suis amateur de motos!

? Qu'est-ce qu'on peut collectionner?
Avez-vous (déjà eu) une collection quelconque?
De quoi?
Combien de timbres av(i)ez-vous?
De quels pays?
Quel pays émet les plus jolis timbres à votre avis?
Le timbre le plus vieux de votre collection, de quand date-t-il (datait-il)?
Combien vaut (valait) le timbre le plus précieux?
Quelles sortes de maquettes peut-on construire?
En quoi peut-on les construire?
Est-ce que vous en avez construit vous-même?
En quoi?
Combien de vos anciens jouets avez-vous gardés?
Lesquels?
Comment vous êtes-vous débarrassé des autres?
Avez-vous un vélomoteur?

A partir de quel âge a-t-on le droit en Angleterre de conduire | un vélomoteur
une moto de 50 cc
une moto de plus de 250 cc?

Et en France?

Est-ce que vous espérez acheter une | moto | un jour?
voiture |

Quelle marque allez-vous choisir et quel modèle?

Combien coûte actuellement
| un vélomoteur neuf | en livres?
une moto neuve |
une voiture neuve |

Et en francs?

X Explain about the hobbies you had when you were younger by using the models below:

Quand j'étais tout(e) petit(e), je . . . + imperfect
Quand j'étais très jeune, je . . . + imperfect

Quand j'étais plus jeune, je passais mes
| soirées | à + infinitive
week-ends |

Quand j'étais plus jeune, je m'intéressais
| au . . .
à la . . . | + noun
à l' . . . |
aux . . . |

27

Explain about your present hobbies and interests by using the models below:

Maintenant je . . . + present
Quand j'ai le temps, je . . . + present
Quand j'ai les moyens, je . . . + present

You can now link these, or show how they developed, by using the following model:

J'ai commencé
| par + infinitive | . . . puis je suis passé à + noun
| avec + noun |

e.g. J'ai commencé *par acheter/avec* des timbres individuels, puis je suis passé aux séries.

■ When discussing the materials with which models can be made, the following expressions may be useful:

en bois (de balsa)/avec du bois (de balsa)
en/avec du | papier
| carton
| tissu
| plâtre
| papier mâché
en matière plastique
mousse de polystyrène

The following verbs are useful in this context:
coller (ensemble)
attacher (à . . .)
coudre (je cous/nous cousons/j'ai cousu)
peindre (je peins/nous peignons/j'ai peint)
décorer
assembler
construire (je construis/nous construisons/ j'ai construit)
monter

The following are hobbies, games and pastimes:
(aller à) la pêche
pêcher
(faire voler) | des modèles d'avion
| des cerf-volants
(faire naviguer) des bateaux
construire des | maquettes de . . .
la construction des |
tirer | à l'arc
le tir | au fusil à air comprimé
| à la fronde
faire du skateboard
faire du patin à roulettes
faire des randonnées | à vélo
| à la campagne

camper
le camping
lire
la lecture
(collectionner) | les posters
| les photos | de vedettes
| de pop stars
nager
la natation
les | scouts
| éclaireurs
la croix rouge
jouer au tennis (and other games)
jardiner
le jardinage
cuisiner
tricoter
broder
la broderie
dessiner
peindre | des portraits
| des paysages
| des peintures abstraites
| des natures mortes

à l'huile
à l'aquarelle

sculpter
la sculpture
faire des collages

---

12. Les passe-temps – une fille parle . . .

— Qu'est-ce qui vous intéresse?

— J'ai toujours aimé les animaux et on a toujours eu chez nous toutes sortes d'animaux domestiques: des chats, un chien, des cobayes, des hamsters, des lapins, et ainsi de suite. Quand j'ai eu dix ans mon père m'a payé des leçons d'équitation. C'était dans une grande ferme où il y avait une écurie. Ça coûtait très cher; pas seulement les leçons elles-mêmes, mais l'équipement spécial qu'il fallait absolument avoir: des culottes de cheval . . . 'jodphurs' en anglais . . . des bottes et un casque. Heureusement j'ai pu me les procurer d'occasion.

— Qui donnait les leçons d'équitation?

— C'était la fille du fermier. Elle était très gentille et comme je montais bien à cheval elle me permettait de promener les chevaux. J'ai offert d'y travailler le samedi et en échange j'ai pu monter à cheval gratuitement.

— Quel genre de travail était-ce?

— C'était dur! Il fallait nettoyer les harnais, les selles etc. et aussi l'écurie. Je devais aussi donner à manger et à boire aux chevaux.

— Vous n'avez jamais possédé votre propre cheval?

— Malheureusement non. J'ai toujours voulu en posséder un . . . mais il aurait fallu louer un pré, payer la nourriture . . . on n'aurait jamais eu les moyens de payer tout ça.

— Vous montez toujours à cheval?

— Non. Ça fait deux ans que je n'en fais plus . . . C'est que mes copines ne s'intéressent pas à ça. Je sors assez souvent avec mon ami, Pete. Lui non plus ne s'y intéresse pas . . .

? Quels animaux domestiques peut-on avoir?
Où est-ce qu'on garde un lapin, un hamster, des poissons rouges, un serin, un chien?
Qu'est-ce qu'on donne à manger aux lapins, aux chiens, aux chats, aux chevaux, aux oiseaux?
Quel animal aimez-vous le mieux?
Y a-t-il un animal domestique que vous ne pouvez pas supporter?
Y a-t-il un animal (un reptile, un poisson, un oiseau) dont vous avez horreur?
Avez-vous entendu parler de gens riches ou excentriques qui ont/avaient des animaux domestiques bizarres ou exotiques?

Que veut dire 'acheter d'occasion'?
Avez-vous déjà acheté quelque chose d'occasion?
Combien l'avez-vous payé?
Combien est-ce que l'article aurait coûté neuf?
Vous avez fait une économie de combien, alors?
Avez-vous déjà fait un travail dur?
Lequel?
Faites une liste de ce qu'on peut louer.
Êtes-vous déjà monté à cheval?
A qui appartient/appartenait l'animal?

X Talk about the things you will probably do when you are older by using the following models:

Quand je serai plus grand, je . . . . . .
Quand j'aurai 18 ans, je . . . . . .
Quand j'aurai assez d'argent, je . . . . . . | + future
L'année prochaine je . . . . . .
Dans deux ans je . . . . . .

Quand je serai plus âgé, je compte + infinitive

Talk about your dreams and wishes by using the following models:

Si j'avais les moyens, je . . . . . .
Si ça se pouvait, je . . . . . . | + conditional
S'il était possible, je . . . . . .

J'aimerais posséder + noun
J'aimerais + infinitive

The conditional explains what you would do, what you would like to do, what would happen, etc.
The past conditional explains what you would have done, what you would have liked to do, what would have happened, etc. Here are some examples of it in sentences:

J'aurais
Je serais | + past participle
Je me serais |

Si j'avais eu les moyens, *j'aurais acheté* un cheval.
S'il avait été possible, *j'aurais aimé* posséder un cheval.
Si j'avais eu assez d'argent,
| *je serais allé* en France plus tôt.
| *je me serais payé* un séjour en France.

---

13. **Les moments de loisir – une fille parle . . .**

— Que faites-vous d'habitude le soir?
— Les jours de semaine, c'est-à-dire les jours d'école, j'arrive assez tard chez moi. Mon car ne passe pas très tôt à l'école. En plus j'ai un bon bout de chemin à faire depuis l'arrêt. Je suis généralement à la maison pour cinq heures, disons. Je prends mon goûter avec ma mère; mon père n'est pas encore rentré à cette heure-là. Puis je me change . . . je mets des vêtements plus décontractés et commence à faire mes devoirs. J'en ai à peu près pour deux heures et demie à faire mes devoirs chaque soir. Quand ils sont finis je suis tellement fatiguée que je ne peux rien faire d'autre que m'écrouler sur le canapé et regarder la télé pendant une heure ou deux.
— Vous sortez donc très peu le soir les jours d'école?
— C'est ça. Je vois mon ami le plus souvent le week-end. Je sors quelquefois avec lui pendant la semaine, mais mes parents n'apprécient pas tellement. Il a quitté l'école et il travaille . . . Il vient me chercher sur sa moto. Nous avons juste le temps d'aller passer une heure à la maison des jeunes. Mon père veut absolument que je sois rentrée pour dix heures et demie au plus tard. Sinon, il me fait des histoires!
— Donc vous êtes toujours à la maison pour dix heures et demie?
— Non . . . Le week-end c'est onze heures et demie. S'il se passe quelque chose de spécial . . . une boum ou quelque chose comme ça, je peux rentrer encore plus tard. Mais il veut absolument savoir où je suis et il vient toujours me chercher en voiture.
— Est-ce que ça vous embête?
— Eh bien, mes copains se moquent un peu de moi; mais je pense que c'est pour mon bien après tout. Du moins, c'est ce que dit mon père!

? A quelle heure êtes-vous généralement à la maison en rentrant de l'école?
A quelle heure prenez-vous le goûter?
Le préparez-vous vous-même?
Que mangez-vous d'habitude? Avec qui?
Quand est-ce que vous préférez faire vos devoirs, tout de suite ou plus tard dans la soirée? Pourquoi?
Combien de temps mettez-vous en moyenne pour faire vos devoirs?
Quand est-ce que vos parents vous permettent de sortir?
Avez-vous un ami/une amie spécial(e), ou sortez-vous avec un groupe de | copains
| copines?
Combien de fois par mois est-ce qu'on organise dans le voisinage des boums ou des 'discos'?
Qui les organise?
A quelle heure devez-vous rentrer, si vous sortez en semaine?
Et le week-end?
Qu'est-ce qui arrive, si vous arrivez trop tard chez vous?

X Complete the following sentences with a suitable verb in the present tense:

Quand je rentre de l'école je . . . . . .

Tous les soirs | je . . . . . .
Des fois |

Quelquefois | je . . . . . .
Parfois |

Si mes parents sont d'accord, je . . . . . .
Quand je suis fatigué, je . . . . . .
Si mes parents sortent, je . . . . . .

Cela dépend du jour. | Le lundi je . . . . . .
| Le mardi (etc.) je . . . . . .
| Le week-end je . . . . . .
| En semaine je . . . . . .

Cela dépend de la saison. | En été je . . . . . .
| En hiver je . . . . . .
| En automne je . . . . . .
| Au printemps je . . . . . .

Cela dépend du temps. | S'il fait beau, je . . . . . .
| S'il fait mauvais, je . . . . . .
| S'il pleut, je . . . . . .
| S'il neige, je . . . . . .

Find activities to complete the following sentences. Make sure that you use the appropriate form of the verb (present/perfect/imperfect/future). They are deliberately mixed up and no indication of tense is given:

Chaque jour je . . . . . .
Hier matin . . . . . .
Le week-end prochain . . . . . .
Quand j'aurai quitté l'école . . . . . .
Quand j'étais en France . . . . . .
Tous les matins . . . . . .
Demain soir . . . . . .
Le week-end dernier . . . . . .
Il y a deux ans . . . . . .
Quand j'ai le temps . . . . . .

◀ You can usually avoid the subjunctive if you don't know how to use it. In the following cases it can't be avoided. Fortunately the subjunctive does not differ from the 'ordinary' present tense (the indicative) in most verbs in the first person singular and most of the irregular verbs are not likely to be needed. The following sentences illustrate those you are most likely to need:

Ma mère voudrait | que
Mes parents veulent |

j'*écrive* régulièrement à mon(ma) correspondant(e)
j'*apprenne* l'allemand
je *fasse* tous mes devoirs
je *mette* des vêtements convenables/présentables
je ne *sorte* que le week-end
j'*aille* à l'église
je *sois* à la maison avant 11h.
je *prenne* des leçons de piano
je *vienne* en vacances avec | lui
| elle
| eux

14. **Travailler et s'amuser – un groupe de jeunes gens parle . . .**

— Que faites-vous pendant vos week-ends?
— Le samedi je travaille dans un supermarché pour gagner de l'argent en plus.
— Vos parents ne vous donnent pas d'argent de poche?
— Si. Ils me donnent une livre par semaine; mais si jamais je veux acheter des vêtements à la mode ou des disques à mon goût, ça ne suffit pas.
— Quel genre de travail faites-vous?
— Je transporte diverses marchandises dans un chariot depuis la réserve. Ensuite j'étiquette les emballages, les pots, les boîtes, les bouteilles, et ainsi de suite.

Après ça je les mets dans les rayons.
— Puis-je vous demander combien d'heures vous faites et combien vous gagnez?
— Je travaille de 9h. à 17h. et je gagne 5 livres 50 chaque samedi.
— Et vous, avez-vous un emploi quelconque?
— Oui. Je suis livreur de journaux. J'ai une tournée de quatre-vingts maisons que je fais tous les matins.
— Vous vous levez donc très tôt.
— Oui, assez. Je mets mon réveil à six heures.
— Et maintenant, une fille. Comment gagnez-vous de l'argent en plus?
— Je fais du babysitting pour les voisins.
— C'est facile comme travail?
— Ça dépend . . . Si c'est un bébé ou un tout petit enfant, ça va, car ils dorment pratiquement tout le temps. On vous paie pour vous relaxer dans un fauteuil et regarder la télé. Mais les enfants de plus de cinq/six ans . . . ça peut tourner mal!
— Laissons le travail et passons à quelque chose de plus agréable. Que faites-vous le soir pour vous distraire?
— Pas grand'chose. On est tous des copains et on se réunit dans le parc autour d'un banc public. On parle de ce qu'on a fait et de ce qu'on va faire. On va à l' 'Off Licence' acheter des chips et du coca cola. L'Off Licence, c'est un magasin qui est ouvert le soir ou l'on vend des boissons à emporter. Parfois on va chez le marchand de 'fish and chips' et on se paie un cornet de frites, ou du poisson et des frites emballés dans du papier. On les arrose de vinaigre, on y met du sel et du poivre et on les mange avec les doigts . . . Ça a un goût extra!

? Est-ce que vous recevez regulièrement de l'argent de poche de vos parents?
Combien est-ce qu'on vous donne?
Tous les combien?
Quand est-ce que vous le recevez d'habitude?
Avez-vous des tâches à faire pour le gagner?
Y a-t-il d'autres membres de la famille qui vous donnent de l'argent?

Lesquels?
Est-ce que vous travaillez quelque part pour gagner de l'argent en plus?
Quand et où?
Combien d'heures faites-vous?
Combien gagnez-vous par heure/jour/semaine?
Qu'est-ce que vous avez à faire exactement?
Comment dépensez-vous l'argent que vous gagnez ainsi?
En mettez-vous de côté?
Pour acheter quoi?
Avez-vous déjà fait du babysitting?
Pour qui?
Comment est-ce que les enfants se sont conduits?
Quel est selon vous la meilleure façon de gagner de l'argent en plus?
Et la façon la plus difficile?
Pensez-vous que vous autres élèves sont souvent exploités par les adultes?
Pourquoi dites-vous cela?
Quelle(s) sorte(s) de nourriture à emporter peut-on acheter près de chez vous?
Est-ce que vous en achetez?
Et votre famille?

X Explain how you spend your weekends by completing the following sentences:

Le vendredi soir je . . . . . .

Le samedi	matin	je . . . . . .
	après-midi	
	soir	

Le dimanche	matin	je . . . . . .
	après-midi	
	soir	

Très tôt le matin je . . . . . .
Plus tard dans la matinée je . . . . . .
En début d'après-midi je . . . . . .
Au cours de l'après-midi je . . . . . .
Au milieu de l'après-midi je . . . . . .
Après le goûter je . . . . . .

Avant de sortir je . . . . . .
Après avoir mangé je . . . . . .
Après être rentré je . . . . . .
Après m'être changé je . . . . . .
En fin de soirée je . . . . . .

Explain what the following jobs entail by selecting suitable verbs from those listed below:

Quand on travaille dans un supermarché on . . . . . .
Quand on travaille comme pompiste dans une station-service on . . . . . .
Quand on fait du babysitting on . . . . . .
Quand on travaille comme jardinier on . . . . . .
Quand on travaille comme vendeur/vendeuse on . . .
Quand on aide ses parents on . . . . . .
Quand on fait du travail pour ses voisins on . . . . . .
Quand on travaille dans une ferme on . . . . . .

nettoyer/vendre/ranger/distribuer/livrer/garder/
surveiller/s'occuper de/promener/emmener en
promenade/bêcher/désherber/faire les courses/
donner à manger à . . .

Note the following verbs which all mean 'to meet one another', 'to get together':

se réunir
se rencontrer
se retrouver

Note the following verbs which all mean 'to have to', 'to be obliged to':

je dois	+ infinitive
il me faut	
j'ai à	
je suis obligé de	

---

15. **L'uniforme et la mode**

— Est-ce que vous devez porter l'uniforme dans votre école?
— Oui. Les garçons doivent avoir une veste bleue avec l'écusson de l'école, un pantalon gris, des chaussures noires et une cravate.
— Et les filles?
— Une robe d'été en tissu spécial. En hiver un pantalon bleu, un chemisier et un gilet bleu.
— Est-ce que c'est obligatoire?
— En théorie, oui. Mais il y a des élèves qui ne respectent pas cette règle. Les premières années arrivent toujours avec un bel uniforme propre, mais quand il est usé, beaucoup portent des vêtements à leur goût et plus à la mode. Lorsqu'ils arrivent en cinquième année il y en a même qui portent des blue-jeans et des blousons en jean . . .
— Est-ce que ça n'est pas mal vu par les profs?
— Si, mais ils ne peuvent pas y faire grand'chose . . .
— Mais, en général, quelle sorte de vêtements est-ce qu'ils portent, ces élèves-là?
— Ça dépend de ce qui est à la mode. Les garçons portent soit des pantalons étroits, soit des pantalons larges. Parfois c'est la mode des bottes, parfois ce sont des chaussures à semelles très épaisses, parfois des baskets ou des chaussures de tennis. La mode change souvent du jour au lendemain. La plupart des garçons ont de longs cheveux, mais dernièrement c'est devenu la mode chez certains d'avoir les cheveux très courts et même de porter une boucle d'oreille.
— Avez-vous le droit de porter des bijoux?
— Théoriquement non, mais si on porte une petite bague, les profs font semblant de ne pas la voir . . . ça va aussi pour les médailles de Saint Christophe ou les bracelets d'identité que portent certains garçons. Mais les bijoux clinquants ou voyants (les grosses bagues, les bracelets, les pendentifs, les boucles d'oreille) ne sont pas autorisés.

– Quelle est la mode la plus exagérée dont vous vous souvenez?
– Il y a un an environ certaines filles commençaient à retrousser leurs pantalons jusqu'aux genoux et à porter des chaussettes de foot et des baskets. Elles portaient aussi des bonnets de laine, même en classe. Le directeur a mis fin à ça en écrivant aux parents et en faisant confisquer les bonnets.
– Est-ce que vous êtes d'accord pour porter l'uniforme?
– Non. Je pense que c'est démodé ... Les jeunes aiment porter des vêtements à la mode.
– Mais ne trouvez-vous pas que certains vont un peu loin?
– Si. Il y en a qui exagèrent un peu ... mais seulement une minorité et ils nous font du tort.

? Est-ce que votre école a un uniforme officiel?
Qu'est-ce que les garçons doivent porter?
Quelle différence y a-t-il entre l'uniforme d'hiver des filles et leur uniforme d'été?
Est-ce que votre école a un écusson?
Comment est-il?
Y a-t-il une légende?
En quelle langue? Essayez de la traduire en français.
Discutez les prix des vêtements. Combien coûte actuellement un blue-jean? une chemise? une paire de bottes? etc.
Est-ce que vous vous habillez à la mode?
Quels vêtements préférez-vous porter le week-end?
Est-ce que vous vous coiffez à la mode?
Décrivez votre coiffure actuelle.
Quels vêtements sont entrés en vogue récemment?
Est-ce que les filles préfèrent porter une jupe ou un pantalon?
Quelle coiffure est en vogue en ce moment?
Quelles couleurs de vêtements est-ce qu'on préfère?
Qu'est-ce qu'on porte comme bijoux?

X Using vocabulary and expressions from the following section, describe people of your acquaintance – friends, teachers and so on – giving details of the way they wear their hair and the clothes they usually wear. If you are working in a class, see whether you can guess the people from each other's descriptions.

Complete the following sentences by using a phrase containing the structure **soit . . . soit** or **ou . . . ou**:

e.g. On porte un blouson | soit | en cuir | soit | en jean.
| ou | | ou |

Le soir on va . . . . . .
Aux pieds on porte . . . . . .
Comme bijoux les filles portent . . . . . .
On porte les cheveux . . . . . .
Pour être vraiment dans le vent il faut porter . . . . . .
Quand j'ai les moyens j'achète . . . . . .
Le week-end je rends visite . . . . . .
Je me fais couper les cheveux . . . . . .
Quant à la couleur je préfère . . . . . .
Quant à l'avenir je voudrais devenir . . . . . .

◢ The following expressions are useful for describing the length of skirts, dresses and coats:

extrêmement long(ue)
long(ue)
mi-long(ue)
mi-court(e)
court(e)
extrêmement court(e)
à mi-mollet
à mi-cuisse

Here are some more articles of clothing that have not been mentioned in the dialogue or in the exercises:

un chapeau
une casquette
un short
un imperméable
un manteau
un pull
un polo
un chandail

The following expressions are useful for describing shoes, boots, etc:

à hauts talons
plat(e)s
étroit(e)s
pointu(e)s
arrondi(e)s

The following expressions apply to styles of trousers:

un pantalon	étroit
	large
	à revers
	sans revers
	à pattes d'éléphant
	en tuyau de poêle

un fuseau

The following expressions are useful for talking about the materials clothes are made of:

en	laine
	nylon
	coton
	jean
	soie
	cuir
	daim
	tergal
	polyester
	acrylique
	velours côtelé

The following expressions describe sorts of colours:

Des couleurs	vives
	criardes
	sombres
	neutres
	claires
	foncées
	sobres

The following expressions describe hair styles:

Les cheveux	longs	en avant
	courts	en arrière
	mi-longs	derrière
	mi-courts	sur les côtés
		sur les oreilles

avec raie
sans raie
en queue de cheval
avec des nattes
teints
bouclés
frisés
en brosse
en chignon
avec une frange
en queue de cheval
bien coupés
bien coiffés
mal coiffés
ébouriffés

Apart from the jewellery mentioned in the dialogue, the following should be noted:

un collier
une broche
une épingle
une montre (à quartz)
une bague de fiançailles
un anneau de mariage
une gourmette

---

16. **Au centre sportif**

— A quoi passez-vous vos heures de loisir?
— De temps à autre on va au centre sportif. C'est là qu'on se réunit souvent, surtout le week-end.
— A qui est-il ouvert, ce centre?

– A tout le monde; mais quand on est adhérent, on ne paie que la cotisation annuelle. Ainsi l'entrée est gratuite . . . on n'a qu'à montrer sa carte. On profite des activités à meilleur marché aussi.

– Ça coûte combien, la cotisation annuelle?

– Pour les adultes, cinq livres, je crois . . . pour les élèves et les étudiants, une livre seulement.

– Qu'est-ce qu'on y fait, dans ce centre?

– Eh bien, il y a la piscine, le hall omnisport avec des salles de volleyball, de badminton et de basket. Il y a également une salle de billard, des tables pour le ping-pong et un 'tatami', c'est-à-dire un tapis spécial pour le judo.

– Est-ce qu'on peut louer l'équipement nécessaire?

– Certainement; on peut avoir des balles, des raquettes, des volants et même un kimono pour le judo – et pour les adhérents c'est tarif réduit, bien sûr.

– Est-ce qu'on peut y apprendre à pratiquer ces sports?

– Oui. Il y a plusieurs cours donnés par des experts . . . cours pour débutants, cours avancés. Il y a des cours de natation, par exemple, avec plusieurs niveaux d'examens pour passer des brevets. Le niveau le plus avancé est celui de 'sauveteur' . . . Je ne l'ai pas encore, mais je passe l'examen la semaine prochaine. Un de mes copains et moi sommes amateurs de squash. C'est l'activité la plus récente et parmi les plus demandées. Ça se joue dans une salle spéciale. On a des raquettes et une balle qu'on lance contre les murs. Ça se joue très vite et il faut avoir beaucoup d'énergie. Il y a aussi une espèce de bar au premier étage où on peut acheter à boire et à manger. On peut se relaxer et s'amuser à regarder faire les autres par des fenêtres encastrées dans les murs mêmes des courts. C'est très moderne et vraiment impressionnant.

? Dans le domaine du sport, quelles possibilités vous offre votre quartier? (Y a-t-il par exemple un terrain de sports, un stade ou une piscine près de chez vous?)
Comment est-il/elle?

Y allez-vous souvent voir des matchs ou des compétitions?
Avez-vous le droit d'y venir/de vous en servir/de vous y entraîner/d'y adhérer?
Êtes-vous membre d'une équipe?
Contre qui jouez-vous?
Est-ce que vous gagnez ou perdez le plus souvent?
Êtes-vous adhérent d'un club ou d'un centre sportif?
Vous y allez tous les combien?
Devez-vous payer une cotisation?
De combien?
Quels sont les droits des adhérents?
Quel genre d'équipement sportif possédez-vous personnellement?
Est-ce que vous apprenez actuellement à pratiquer un sport?
Lequel?
Qui est-ce qui donne les cours?
Est-ce que vous vous considérez comme un débutant, moyen, ou expert?
Avez-vous passé des brevets?
Les avez-vous obtenus?

X Complete the following statements by giving up to four examples in each case:

Les sports suivants se pratiquent:

sur un terrain: . . . . . .
dans un court: . . . . . .
sur une table: . . . . . .
dans une grande salle: . . . . . .
dans un stade: . . . . . .
en plein air: . . . . . .
à l'intérieur: . . . . . .
sur eau: . . . . . .
sur glace: . . . . . .
dans l'eau: . . . . . .
sur neige: . . . . . .
sur des pistes: . . . . . .

Read the following definitions of sports and games and see whether you can work out what is being talked about:

a   Sport qui se dispute entre deux équipes de six joueurs se renvoyant par dessus un filet un ballon léger, sans qu'il touche le sol.

b   Jeu de balle anglais qui se joue avec des battes de bois.

c   Jeu de volant semblable au tennis.

d   Jeu de balle à la crosse, dont les règles rappellent celles du football.

e   Jeu de balle à la crosse qui se joue sur glace.

f   Sport d'origine écossaise qui consiste à envoyer une balle, à l'aide de crosses, dans les trous successifs d'un vaste·terrain.

g   Sport pratiqué sur des patins allongés en bois, en métal, ou en matières synthétiques.

h   Sport dans lequel l'exécutant, tiré rapidement par un canot automobile, glisse sur l'eau en se maintenant sur un ou deux patins de bois.

i   Jeu qui se joue avec des boules sur une table rectangulaire couverte d'un tapis de drap vert.

j   Sport de combat d'origine japonaise.

Now try to describe some different sports by using the following model and suggestions:

C'est un sport . . . . . . (d'équipe? individuel?)
L'équipe se compose de . . . . . . (combien de joueurs?)
Ça se joue . . . . . . (où?)
Comme équipement il faut avoir . . . . . . (quoi?)
Pour commencer la partie on . . . . . . (verb)
Le but en est de . . . . . . (infinitive)
Pour marquer un but/un point il faut . . . . . . (infinitive)
Une partie dure . . . . . . (combien de temps?)

You have met expressions like *Ça se joue . . . Ça se pratique,* in dialogues and exercises. Practise the use of it yourself by rephrasing the following sentences as indicated in the model:

On joue au football ici – Le football *se joue* ici.
On pratique beaucoup de sports ici.
On fait beaucoup ça chez nous.
On apprend le français ici.
On parle facilement le français.
On oublie très vite les langues étrangères.
On vend les boissons pendant la récréation.
On achète ces articles partout.
On trouve ces magasins dans chaque ville.

When speaking about oneself and one's friends it is easy to forget that together this is the equivalent of **nous.**

Je suis amateur de squash – Mes amis et moi *sommes* amateurs de squash.

Try the following:

Je vais souvent au cinéma – Mes copains et moi . . .
Je joue souvent au badminton – Mon frère et moi . . .
Je fais du canoë – Ma sœur et moi . . .
J'apprends à jouer de la guitare – Plusieurs de mes copains et moi . . .
Je suis allé en France – Mes camarades de classe et moi . . .
J'ai fait un séjour à Paris – Mes parents et moi . . .
Je prends l'autobus pour venir à l'école – Mes frères et moi . . .
Je m'amuse à jouer aux boules – Mes copains et moi . . .
Je trouve mes profs très sympathiques – Les autres élèves et moi . . .

■ When describing recreational pursuits, the following structures are very useful:

s'amuser | à + infinitive
        | en + present participle

se | relaxer | en + present participle
   | détendre |

e.g. On peut s'amuser *à jouer/en jouant* au volley ou
on peut se relaxer (se détendre) *en regardant* faire
les autres.

Note the following expressions to do with cost:

C'est | un peu | cher
    | très |
    | trop |
    | extrêmement |

C'est plus cher en France qu'ici.
C'est moins cher ici qu'en France.
C'est (très) bon marché.
C'est meilleur marché ici qu'en France.
C'est une | occasion!
      | affaire!

If you have to describe a building (a club, sports
centre, etc.) the following expressions will help you
to be more systematic:

Au foyer | il y a . . .
Au sous-sol | on trouve . . .
Au rez-de-chaussée | se trouve(nt) . . .
Au premier étage | vous avez . . .
Au deuxième étage |
Au balcon |
A la terrasse |
Dans les couloirs |
Sur les paliers |

The following vocabulary will be useful for
discussing games and sports:
une raquette/une crosse/une batte/une queue/
une balle/un ballon/un volant/une boule
jouer à deux/à quatre etc.

frapper | la balle/le ballon
envoyer |
lancer |

dribbler

shooter
rebondir
servir
marquer | un point
     | un but
manquer
gagner | le match
perdre | la partie
deux buts à zéro
une cible
dans le but
par-dessus le filet
hors du court/hors-jeu
je suis supporter de . . .

17. **Visite à Boulogne**

– Êtes-vous déjà allé en France?
– Oui, j'y suis allé une fois il y a cinq ans quand j'étais
  en première année.
– Combien de temps avez-vous passé là-bas?
– Une journée seulement.
– Vous étiez avec vos parents?
– Non, non . . . c'était la fameuse excursion annuelle
  à Boulogne. Ça se fait chaque année pendant le
  trimestre d'été . . . juste après la Pentecôte d'
  habitude. Il y a plein d'écoles qui font la même
  chose à cette époque . . . les bateaux sont pleins à
  craquer!
– Qui est-ce qui y participe?
– Presque tous les élèves de première année. On se
  met en route de très bonne heure le matin – vers
  cinq heures, si je me rappelle bien. Les élèves sont
  encadrés par un vingtaine de profs, de parents, etc.
  On va à Douvres en train, on traverse la Manche en
  bateau, puis on passe la journée à Boulogne.
– Quel est le but de cette excursion?
– On doit écrire un petit compte rendu de la visite

en décrivant le voyage et ce qu'on voit en France. Il faut noter les différences entre Boulogne et Douvres, par exemple les bâtiments, les véhicules, les vêtements, les uniformes, etc. Puis on doit faire une comparaison des prix en regardant dans les vitrines et en prenant note des prix d'une variété de marchandises – nourriture, vêtements, outils, articles de toilette, etc. Puis on fait une liste d'enseignes, de réclames, d'affiches – de tout ce qu'on voit d'écrit. Si on a un appareil on peut prendre des photos pour illustrer le texte. On peut aussi y ajouter de petits objets trouvés et ramassés en France – des pièces de monnaie, des tickets d'autobus, des papiers d'emballage, etc. Une fois un élève a même emporté un magnétophone à cassettes et a interviewé des Français dans la rue en leur posant des questions sur leur vie de tous les jours.

— Est-ce que vous avez beaucoup parlé français?
— Non, quelques mots seulement. A cette époque on savait très peu de français. Entre nous, on parlait anglais, bien sûr. Et les gens là-bas – les marchands, les garçons de café, etc. – parlaient tous anglais. Même quand on essayait de leur parler français, ils répondaient toujours en anglais. On portait tous l'uniforme de l'école et tout le monde savait qui on était.
— Avez-vous profité de cette excursion?
— Du point de vue de la langue, je ne crois pas en avoir profité. Du point de vue de l'intérêt, j'en ai profité beaucoup. J'en ai gardé un très bon souvenir.
— Et les comptes rendus . . . qu'est-ce qu'ils sont devenus?
— Les profs les ont lus et ont offert des prix pour les trois meilleurs.
— Vous avez gagné un prix, vous?
— Bien sûr que non. Je n'ai rendu qu'une page et demie!

? Combien de temps avez-vous passé en France en tout?
Combien de fois y êtes-vous allé?

A part les échanges scolaires, est-ce que votre école organise des visites à l'étranger? Où?
Quel est le but de ces visites?
Quel en est la plus ambitieuse?
Combien faut-il payer une place?
Combien d'élèves y participent?

Quels sont les ports maritimes de France?
Où sont-ils situés?
Quelles régions se trouvent en face de l'Angleterre?
Quelles îles se trouvent près de la côte normande?
Quelle est la traversée la plus courte de la Manche?
Combien de temps est-ce qu'elle dure?
Quels moyens y a-t-il de traverser la Manche?

Avez-vous déjà écrit un compte rendu ou 'project' quelconque?
Au sujet de quoi?
Combien de temps avez-vous mis pour le finir?
Avez-vous illustré le texte?
Comment?
Vous avez écrit combien de pages?
Est-ce que vous avez jamais gagné un prix?
Pour quoi?

X Repeat the whole of the section of dialogue from 'Qui est-ce qui y participe?' to 'des papiers d'emballage, etc.' putting it into the past tense.

Discuss and compare the various ways of (i) crossing the Channel, and (ii) getting about in town. Use the following phrases:

a
Les avantages	du	c'est que . . . . . .
Les inconvénients	de l'	
	de la	

b
| A est | plus | . . . . . . (adjective) que B. |
| | moins | |

c
A est	toujours	. . . . . . (adjective);
	souvent	
	tandis	que B est . . . . . . (adjective).
	alors	

d A n'est pas si . . . . . . (adjective) que B.

___

■ The following vocabulary will be useful for the above exercise:

le bateau/l'hovercraft (l'aéroglisseur)/l'avion/
l'autobus/le métro/le taxi/la voiture
pratique/confortable/spacieux/luxueux/bondé/lent/
rapide/cher/bon marché*
stationner/réserver une place

Note the following ways of answering 'Comment avez-vous voyagé?' 'Comment avez-vous fait le trajet?' etc.

| On a fait le trajet | Douvres à Calais
Rouen à Paris
Louvre à Odéon | en train
par le train
en hovercraft
par l'hover-
    craft
en bateau
par le bateau
en avion
par avion
en métro
par le métro
en autobus
par l'autobus
en car |

___

*Remember that the comparative form of 'bon marché' is 'meilleur marché'.

40

18. **L'échange scolaire – départ, voyage et arrivée**

– Êtes vous allé en France?
– Oui. Il y a deux ans, quand j'étais en troisième année, j'ai participé à l'échange scolaire avec la France organisé par l'école. Ça se fait chaque année chez nous, vous savez. J'ai passé trois semaines dans une famille française près de Paris. On était trente-trois dans le groupe plus deux profs de langues. On a voyagé par le train et le bateau et on est arrivé au C.E.S. Bellevue vers cinq heures du soir. Les correspondants et leurs familles nous attendaient dans le foyer de l'école. Là on a fait l'appel et on nous a présentés à nos correspondants. Mon correspondant à moi s'appelait Paul Belmont. Lui et sa famille – son père, sa mère et sa sœur cadette – m'ont emmené chez eux en voiture. J'ai eu très peur au début . . . je ne comprenais pratiquement rien . . . Je répondais par 'oui' ou par 'non' et par des 'je ne comprends pas'. J'ai dû leur faire une drôle d'impression.
Une fois arrivés, ils m'ont montré ma chambre et j'ai pu me débarbouiller, changer de vêtements et défaire ma valise. Puis je leur ai donné un petit cadeau à chacun. Ils m'ont remercié. Puis on a dîné. J'avais tellement faim!
– Comment avez-vous trouvé la nourriture?
– Très bonne. Le petit déjeuner français surtout m'a beaucoup plu.
– Et le dîner?
– Je trouve que les Français mangent énormément le soir. Et ça dure si longtemps! On n'a jamais passé moins d'une heure et demie à table . . . et des fois c'était même trois heures!
– Mais vous n'avez pas mangé pendant tout ce temps-là?
– Bien sûr que non. Pendant tout le repas les Belmont n'ont pas cessé de bavarder, de discuter de ceci et de cela et de plaisanter. Entre chaque plat ils ont fait une petite pause . . . Personne ne s'est pressé. Et au lieu d'avoir un plat principal, comme chez nous, avec de la viande et des légumes servis ensemble, on

les servait successivement . . . par exemple, de la salade, puis un biftek, ensuite des frites, après ça des haricots . . . tous servis séparément.
— Vous avez trouvé ça un peu bizarre?
— Un peu . . . mais je m'y suis vite accoutumé.

? Est-ce que votre école organise des échanges scolaires?
Avec quels pays?
Avec quels genres d'école?
Où se trouvent-elles?
Comment s'appellent-elles?
Est-ce que les groupes sont nombreux?
Quand est-ce que les groupes anglais sont à l'étranger?
Et quand est-ce que les correspondants sont en Angleterre?
Combien de profs encadrent les groupes?

Est-ce que vous avez participé à un échange?
Lequel?
Quand ça?
Comment s'appelait votre correspondant(e)?
Où l'avez-vous vu(e) pour la première fois?
Comment l'avez-vous trouvé(e)?
Où est-ce qu'il/elle habitait par rapport à son école?
Comment avez-vous réagi au début?
Décrivez la famille dans laquelle vous êtes tombé.

Qu'est-ce que 'le petit déjeuner français'?
Qu'est-ce que les Français boivent à table d'habitude?
Quels plats sont typiquement français?
Quelles sortes de vins français connaissez-vous?
Quelles sortes de viande est-ce qu'on mange le plus souvent là-bas?
Quelles sortes de fromage français connaissez-vous?
Qu'est-ce qu'un porte-couteau?
Quels préparations et assaisonnements est-ce que les Français aiment?

X Using the expressions below as a guide, describe what you did when you arrived at your correspondent's house (or imagine the situation, if you have never been on an exchange):

Aussitôt arrivé, je . . .
Après cela, je . . .
Puis je . . .
Ensuite je . . .
J'ai pu + infinitive
On m'a dit de + infinitive
On m'a demandé si je + imperfect
On m'a permis de + infinitive
On m'a aidé à + infinitive

Describe a journey (real or imaginary), using the following expressions:

D'abord on est allé . . .
Puis on est passé par . . .
On a visité . . .
En route pour . . . on a fait un détour par . . .
On a traversé . . .

◀ You have done some work on the structure **moins que**. Note that when numbers are involved **moins de** must be used:

Je me suis amusé *moins que* mes copains.
Mes copains gagnent *moins que* moi.

Le groupe est toujours *moins de* trente.
Ça a coûté *moins de* trente livres.

🌀

19. **L'échange scolaire – le séjour**

— Qu'est-ce que vous avez fait pendant votre séjour?
— J'ai suivi la routine de mon correspondant et de sa famille. J'ai accompagné Paul à l'école et j'ai passé le reste du temps en famille. Par exemple, un matin je suis allé avec Mme. Belmont faire des courses. Une autre fois j'ai pu accompagner M. Belmont à l'atelier où il travaillait comme imprimeur. Un soir on est allé au restaurant. Un dimanche après-midi on a

rendu visite à des parents des Belmont qui habitaient en dehors de la banlieue parisienne, vers Melun. J'ai fait toutes sortes de choses . . . rien de spectaculaire, mais j'ai appris beaucoup de français, ce qui était le but principal de mon séjour, n'est-ce pas?

— Parlez-moi un peu de ce que vous avez fait à l'école.

— J'ai pu assister à certains des cours de Paul. Son prof d'anglais m'a invité à prendre part à plusieurs de ses cours. J'ai pu l'aider en lisant les textes et les dialogues à haute voix devant la classe, en parlant aux élèves en anglais, en répondant à leurs questions et plus tard en enregistrant certains documents sur cassette.

— On a aussi organisé des sorties?

— Oui. Tous les deux ou trois jours on a fait des excursions en car, des visites de monuments dans les environs. On a fait la visite de plusieurs châteaux et d'un musée . . . Ça, c'était un peu ennuyeux. Nos profs s'intéressaient à ça, bien entendu, et ils se sont arrêtés longtemps pour nous traduire chaque commentaire des guides et pour nous expliquer chaque détail des meubles, des peintures, des objets exposés . . . et ils ont attrapé ceux qui n'écoutaient pas ou qui traînaient . . . Un jour on a visité un parc zoologique. Ça, c'était mieux car les profs nous ont laissé courir! La meilleure excursion était la journée à Paris . . . on a visité toutes sortes de monuments, y compris la tour Eiffel.

— Vous y êtes monté?

— Mes copains sont montés tout au sommet, mais moi, je ne suis monté qu'au premier étage. Je leur ai dit que je n'avais pas assez d'argent pour payer la montée au sommet; à vrai dire j'avais trop peur. Je savais qu' elle était haute . . . mais je ne m'attendais pas à ça!! Ça m'a donné le vertige!

— Vous avez acheté des souvenirs pour votre famille?

— Oui, mais pas grand'chose. Les prix sont si élevés à Paris et malheureusement pour nous la livre ne vaut pas lourd.

? Avez-vous déjà été dans une école française?
Quelles différences avez-vous remarquées entre cette école-là et les écoles anglaises de votre connaissance?
Quels jours est-ce qu'on va à l'école en France?
Est-ce que des Français ont déjà assisté à vos cours de français?
Comment ont-ils aidé votre prof?

Avez-vous déjà visité un musée?
Où ça?
Qu'est-ce que vous y avez vu?
Avez-vous été dans un 'safari park' anglais?
Quelles différences y a-t-il entre ce genre de zoo et un zoo traditionnel?
Quand vous faites la visite d'un monument, préférez-vous avoir un guide?
Quels en sont les avantages et les inconvénients?
Quels monuments parisiens connaissez-vous?
Vous avez visité combien d'entre eux?
Avez-vous fait l'ascension de la tour Eiffel?
Combien coûte actuellement la montée au sommet?
De quand date-t-elle?
Pourquoi l'a-t-on construite?
Quelle en est la hauteur?
Est-ce que vous supportez bien les hauteurs?

Quel est actuellement le taux de change de la livre contre le franc?

X Describe a stay in a French family (real or imaginary) using the following expressions:

Le premier matin de mon séjour je . . . . . .
Une fois nous . . . . . .
Un jour | mon correspondant | et moi . . . . . .
⠀⠀⠀⠀⠀⠀| ma correspondante |
Une autre fois je . . . . . .
Presque tous les jours je . . . . . .
Un soir on . . . . . .
Un week-end nous . . . . . .
Un jeudi matin je . . . . . .
Un samedi après-midi on . . . . . .
Un dimanche soir les parents et moi . . . . . .

Le dernier soir nous . . . . . .
Juste avant de partir je . . . . . .

Practise the structures **aider quelqu'un à** + infinitive and **aider quelqu'un en** + present participle by making up two sentences about each of the following people:

e.g. Paul—J'ai aidé Paul *à apprendre* l'anglais.
　　　　Je l'ai aidé *en lui parlant* beaucoup en anglais.

Mon correspondant/ma correspondante
Le père de mon/ma correspondant(e)
Sa mèrc
Son prof d'anglais
Un(e) de ses copains/copines

Imagine that you have spent a holiday somewhere. Talk about the presents you have bought for various people using the models below as a guide:

Pour	mon . . .	j'ai	acheté	un . . . en + material
	ma		trouvé	une
	mes	j'ai pu trouver		des

Explain how you reacted to the following things in France using:

| Je | l'ai trouvé(e) | . . . . . . + adjective |
| | les ai trouvé(e)s | |

Votre correspondant(e)
Ses copains/copines
La famille dans laquelle vous êtes tombé
L'école que vous avez visitée
La classe d'anglais à laquelle vous avez assisté
Le petit déjeuner français
La cuisine française en général
La TV française
Le foyer des jeunes
Le musée du Louvre
Le dimanche français
La tour Eiffel

The following adjectives are useful for describing your feelings (both positive and negative) about people and things you see and meet:

bon(ne)	mauvais(e)
intéressant(e)	pas tellement intéressant(e)
très amusant(e)	inintéressant(e)
vraiment bien	pas très amusant(e)
formidable	un peu décevant(e)
merveilleux/euse	sans intérêt
captivant(e)	affreux/euse
fascinant(e)	ennuyeux/euse
extraordinaire	moche
délicieux/euse	horrible
agréable	dégoûtant(e)
gentil(le)	désagréable
sympathique	antipathique

20.　**Vacances en famille**

— Comment passez-vous les vacances d'été d'habitude?
— Dans le temps, comme mes parents possédaient une tente et tout l'équipement de camping, on campait souvent. Parfois on louait une caravane au bord de la mer. Puis, il y a trois ans, on a pu en acheter une. Depuis ce temps-là on a pu visiter pratiquement toute la Grande-Bretagne. Dans certaines régions on a du mal à trouver de la place dans les terrains de camping, surtout dans le sud et le sud-ouest, et il faut s'installer assez tôt dans l'après-midi. Mais en général ça va. Il y a un seul inconvénient; quand il pleut, on doit tenir à quatre dans la caravane. On passe le temps à jouer aux cartes ou à écouter la radio . . . Dartmoor sous la pluie n'est pas drôle, je vous assure!
— Et vous, Jacqueline, que faites-vous?
— Mes parents et moi faisons à peu près la même chose. On n'a ni tente ni caravane, mais chaque été on passe

une quinzaine de jours à rouler en voiture dans une région de la Grande Bretagne telle que la Région des Lacs, la Nouvelle Forêt ou la Cornouaille. On passe la nuit dans des auberges et des pensions; c'est le fameux 'bed and breakfast' anglais, n'est-ce pas? L'inconvénient c'est qu'on ne passe que quelques heures dans chaque endroit. On s'arrête, on fait un petit tour à pied, on casse la croûte, puis on remonte dans la bagnole et on se remet en route. Chaque jour c'est la même chose. Mes parents aiment ce genre de vacances; ils disent que c'est la meilleure façon de 'voir du pays', mais ça m'énerve, moi! Puis il y a souvent des embouteillages . . . la chaleur dans la voiture devient insupportable. A vrai dire je préférerais rester au même endroit.

Et vous, Christine?

Certaines années on n'a pas les moyens de partir en vacances pour faire un séjour proprement dit. On reste chez soi ou on fait chaque jour une excursion différente. Le plus souvent on va à la plage la plus proche, c'est-à-dire Hayling Island. Mes parents se contentent de rester dans la voiture ou assis sur des sièges de camping à deux pas d'elle. Mon père passe le temps à regarder passer les bateaux au moyen de ses jumelles; ma mère passe le temps à lire ou à sommeiller. Moi, je préfère me balader le long de la plage . . . je fais la connaissance de jeunes gens de mon âge. Il y a une petite foire là-bas et on gaspille son argent dans des machines à sous, aux divers jeux et aux divers stands. On se paie des glaces, de la barbe à papa. On s'étend sur le sable, on se bronze. On se taquine en se prenant les serviettes ou les chaussures. On joue sur le sable avec un ballon, ou on plonge dans l'eau, on nage . . . on s'éclabousse . . . bref, on s'amuse! Mes parents apportent de quoi manger et boire: un thermos de thé, des sandwichs, des fruits. Ça me plaît beaucoup de manger comme ça en plein air. Ça a un tout autre cachet!

? Comment avez-vous passé les vacances d'été l'année dernière?
Qu'est-ce que vous avez en vue pour cet été?
Est-ce que votre famille possède une tente ou une caravane?
Depuis quand?
Quelle est selon vous la plus belle région de la Grande Bretagne?
Expliquez votre choix.
Y a-t-il une région dont vous avez entendu parler que vous n'avez pas encore visitée et que vous aimeriez voir? Laquelle?
Comment peut-on s'amuser les jours de pluie quand on fait du camping ou du caravanning?
Quelle est la plage la plus proche de chez vous?
A quelle distance se trouve-t-elle?
Comment est la plage?
Y a-t-il des falaises, des rochers, un jetée?
Nommez plusieurs stations balnéaires qui sont populaires en Angleterre.
Où se trouvent-elles?
Où se trouve la Nouvelle Forêt?
Et la Région des Lacs?
Si vous aviez le choix d'aller n'importe où dans le monde pour passer vos vacances, où choisiriez-vous d'aller?
Pourquoi?
Avez-vous déjà passé les vacances à l'étranger?
Où ça?
Qu'est-ce qui vous a le plus marqué?
Qu'est-ce que vous avez acheté comme souvenirs?

X Make comments about past and future holidays, explaining your likes, dislikes, preferences etc. Use the following expressions, all of which require an infinitive or infinitive phrase to complete them:

Mes parents se contentent de . . . . . . alors que moi, j'aime mieux . . . . . .
Je n'aime pas tellement . . . . . .
Je n'ai aucune envie de . . . . . .

A vrai dire, ça ne me dit rien de . . . . . .
Je refuserais de . . . . . .
Si j'avais le choix, j'aimerais mieux . . . . . .
Je ne veux plus . . . . . .
J'en ai marre de . . . . . .
Ça m'énerve de . . . . . .
Ça me plairait tellement de pouvoir . . . . . .

Make up sentences based on the model below to
show how you passed/pass/intend to pass your time
during the holidays:

On a passé	des heures	à + infinitive
On passe	des journées (entières)	
On va passer	des soirées	
	une semaine	
	une quinzaine de jours	

Complete these sentences by adding a country of
the British Isles:

Cette année on va/reste	en A . . . . . .
L'année dernière on est allé/resté	en E . . . . . .
L'année prochaine on ira/restera	au P . . de G . .
	en I . . (du N . .)

Complete the following sentences by adding a
European country:

Je suis allé	en F . . . . . .
Je ne suis jamais allé	en B . . . . . .
J'aimerais aller	aux P . . . . . . B . . . . . .
Je voudrais bien aller	en S . . . . . .
J'irais bien	en A . . . . . .
Ça me plairait d'aller	en I . . . . . .
	en E . . . . . .
	en P . . . . . .

If you are asked whether you have been somewhere
and have not, the following answers may be useful:

Malheureusement je n'y suis jamais allé.
J'irai là-bas peut-être un jour.
Je n'ai aucune envie d'y aller.

| Cela | coûterait | trop cher. |
| | aurait coûté | |

J'aurais aimé pouvoir y aller.

Note the way the French talk about British
counties:

Il habite dans le Berkshire.
On va dans le Devon.

The exception to this is:

| Il | habite | en Cornouaille. |
| | va | dans les Cornouailles. |

---

21. **La télévision, le cinéma, la radio**

— Commençons avec Diane: est-ce que vous regardez
souvent la télé?
— Je la regarde seulement quand il y a quelque chose
que j'ai vraiment envie de voir . . . quelque chose
qui m'intéresse particulièrement. Quand je n'ai rien
de spécial en vue un certain soir je cherche dans le
'Radio Times' ou le 'TV Times' (c'est l'équivalent de
'Télé 7 Jours' en France) pour voir ce qu'on passe.
S'il y a une émission qui me paraît intéressante, ça
va; sinon je trouve autre chose à faire ou je sors.
— Et le cinéma?
— J'ai à peu près la même attitude envers le cinéma. Je
n'y vais jamais pour le seul plaisir d'y aller, ou parce
que les autres y vont. Quand j'y vais c'est pour voir
un film dont j'ai entendu parler favorablement. Si
jamais quelqu'un veut me sortir au cinéma, je
demande toujours ce qu'on y joue avant d'accepter!
— Quels genres de films préférez-vous?
— Ceux qui me font rire ou réfléchir.
— Et ceux qui vous font pleurer?
— Ça, non! Je ne peux supporter ni les films tristes
ni les films sentimentaux.
— Et vous, Paul . . . combien d'heures passez-vous par
semaine devant le petit écran?
— Ça dépend de la saison: en été je la regarde très peu.

Je ne suis presque jamais chez moi ni le soir ni le week-end. Mais en hiver je sors peu, donc je passe pas mal de temps à la regarder . . . disons, trois ou quatre heures chaque soir.
— Et vos devoirs?
— Je les fais en même temps!
— Quels genres de programme préférez-vous?
— On se dispute souvent chez nous afin de savoir quelle chaîne on va mettre. Mes parents préfèrent les vieux films des années quarante ou cinquante et les 'quiz', comme on les appelle en anglais – c'est-à-dire des jeux de questions. Ils adorent également les feuilletons comme 'Coronation Street' qui montrent une petite communauté et parlent des intrigues de la vie journalière de ses habitants. Moi, je déteste cette sorte de programme . . . je les trouve vraiment casse-pieds. Ma préférence c'est les films et les histoires de détectives. Pas ceux qui ne montrent que la violence . . . j'aime mieux les 'whodunnits', c'est-à-dire les énigmes policières, où il faut vraiment se concentrer et réfléchir.
— Vous regardez régulièrement les actualités?
— Oui, j'aime savoir ce qui se passe dans le monde et à vrai dire je suis trop paresseux pour lire le journal, à part les pages sportives – la télé est beaucoup plus pratique. J'aime également les documentaires qui discutent de la situation politique actuelle dans le monde, mais aussi ceux qui parlent des animaux, de l'exploration, de l'environnement etc. Mais ce que j'aime le plus, ce sont les pièces ou reconstitutions historiques qui traitent d'une certaine époque, ou d'un personnage célèbre comme Elisabeth Première ou Henri Huit. Ça, j'aime énormément.
— Et la radio, vous l'écoutez souvent?
— J'écoute mon transistor tout en lisant au lit le soir, et aussi quand je suis à la campagne ou à la plage ou même en me baladant dans la rue . . . mais rien de sérieux, vous comprenez . . . seulement la musique-pop. J'ai aussi un magnétophone à cassettes sur lequel j'enregistre mes chansons préférées.

? Combien d'heures par semaine passez-vous devant le petit écran?
Quelle est votre attitude envers la télévision?
Y a-t-il une émission que vous ne manquez jamais de voir?
Laquelle?
Qui en est la vedette?
Regardez-vous régulièrement les actualités?
A quelle heure sont-elles diffusées?
Quelle chaîne est-ce qu'on préfère chez vous?
Combien de chaînes y a-t-il?
Quel est l'inconvénient de l'I.T.V?
Qui décide chez vous ce qu'on va voir?

Combien de fois par semaine/mois/an allez-vous au cinéma?
Avec qui d'habitude?
Qui est votre acteur/actrice favorit(e)?
Dans quels films l'avez-vous vu(e)?
Quel rôle a-t-il/elle tenu dans ces films?
Quel a été selon vous son rôle le plus réussi?
Quel est le meilleur film que vous ayez jamais vu?
De quand date-t-il?
Pourquoi est-ce qu'il vous a tellement impressionné?
Y a-t-il plusieurs cinémas par chez vous?
Combien faut-il payer l'entrée actuellement?
Combien faut-il compter payer une soirée au cinéma, y compris le transport et les friandises?

Lisez-vous régulièrement le journal?
Quelles pages vous intéressent le plus?
Quelles pages ignorez-vous tout à fait?
Ecoutez-vous souvent la radio?
Quels genres de programmes de préférence?
Avez-vous un magnétophone?
A bandes ou à cassettes?
Est-ce que vous enregistrez régulièrement le 'hit parade'?
Gardez-vous les chansons ainsi enregistrées, ou font-elles place aux nouvelles toutes les semaines ou deux semaines?

✗ Explain how much television you watch each evening by completing the following sentences:

Cela dépend du jour; | le lundi je . . . . .
| le mardi je . . . . . etc.
| le week-end je . . . . .

Cela dépend de mes devoirs;
| si j'ai beaucoup à faire, je . . . . . .
| si je n'ai pas grand'chose à faire, je . . . . . .

Cela dépend de mes parents;
| s'ils me le permettent, je . . . . .
| s'ils sortent, je . . . . . .
| s'ils insistent, je . . . . . .

Pair up each of the following types of programme and film with an appropriate comment from those listed below:

Quant aux westerns . . . . . .
Quant aux films à suspense . . . . . .
Quant aux dessins animés . . . . . .
Quant aux films d'horreur . . . . . .
Quant aux films policiers . . . . . .
Quant aux documentaires . . . . . .
Quant aux films de science-fiction . . . . . .
Quant aux films d'amour . . . . . .

. . . . . . je ne les aime pas du tout.
. . . . . . je ne les regarde jamais.
. . . . . . ils me plaisent beaucoup.
. . . . . . je les adore.
. . . . . . j'en suis amateur.
. . . . . . ils m'ennuient.
. . . . . . je ne peux pas les supporter.
. . . . . . je les trouve bêtes.

Talk about a few things you have seen, heard or read recently by using the sentences below as a model:

J'ai | vu   . . . . . | récemment
| lu | le week-end dernier
| entendu | la semaine passée
| | les deux dernières semaines
| | hier soir

Ça m'a | plu(e)
| beaucoup plu(e)
| déçu(e) un peu
| totalement déçu(e)
| intéréssé(e)

Talk about some television programmes which you see regularly using the model below:

J'aime les . . . . . . comme . . . . . . , qui est diffusé le . . . . . . à . . . . . . heures.

e.g. J'aime les jeux de questions comme 'Quiz Time', qui est diffusé le lundi soir à 20 h. 15.

◢ The following kinds of film and programme will supplement those met in the text, the questions and the exercises:

Les films fantastiques
Les comédies musicales
Les comédies
Les films comiques
Les films d'espionnage
Les films de guerre
Les films d'exploration
Les émissions pour enfants
Les émissions pour les jeunes
Les émissions de music-hall
Les émissions musicales
Les émissions universitaires de l'Open University
Les discussions, les débats, les tables rondes

Here are some more reactions which you might have to these various films and programmes:

Je ne manque jamais de les voir
Je suis amateur de ce genre
Je les trouve casse-pieds
Ils m'embêtent
Je les trouve ridicules
Ça m'énerve
Ça ne m'intéresse pas du tout

---

22. La lecture

— Lisez-vous beaucoup?

— J'ai dû lire plusieurs textes qui sont au programme du G.C.E. de littérature anglaise.

— On vous a proposé quels textes cette année?

— Il y a toujours au programme une pièce de Shakespeare. Cette année c'est 'Le Marchand de Venise'. Puis on a un roman d'Orwell, 'Dix-Neuf Cent Quatre-Vingt-Quatre'. Il faut étudier aussi un recueil de poèmes. Il y a quatre textes, mais j'ai oublié le titre du quatrième pour le moment . . . Ah, j'y suis: c'est une autre pièce, une pièce de Shaw, 'Saint Joan' – 'Sainte Jeanne' en français je présume – au sujet de Jeanne d'Arc.

— Parlez-moi un peu du 'Marchand de Venise'.

— L'histoire est assez compliquée . . . en fait il y a plusieurs intrigues secondaires. Pour résumer l'intrigue principale: il s'agit d'un marchand vénitien, Antonio, qui emprunte une somme d'argent à un Juif, Shylock. Quand il ne peut pas la rembourser, Shylock réclame 'une livre de sa chair', c'est-à-dire le droit de le tuer. Portia, l'amante d'Antonio, se déguise en juge et peut ainsi le sauver.

— Vous aimez cette pièce?

— Je l'ai entendue une fois à la radio et ça m'a beaucoup plu. J'aimerais bien la voir à la scène un jour . . . ça doit être vraiment quelque chose. Mais quand il faut étudier une œuvre comme ça à fond pendant des mois entiers, en faisant l'analyse de chaque phrase . . . je trouve ça très ennuyeux. Ça me gâte tout le plaisir. Moi-même, je préfère lire une pièce le plus vite possible, puis en voir une représentation, même d'amateurs.

— Qu'est-ce que vous lisez à part les textes au programme?

— Des magazines, des illustrés . . . des articles sur la vie et les problèmes des adolescents . . . rien de très sérieux! De temps à autre, surtout avant de partir en vacances, je me paie deux ou trois livres de poche; généralement quelque chose de très banal et facile à lire . . . de la science-fiction ou un roman policier. Récemment j'ai lu 'Jaws' – 'Les Dents de la Mer' – qui raconte l'histoire de la chasse à un énorme requin blanc qui tue des nageurs. J'aime les livres qui parlent d'espionnage . . . les livres à la James Bond . . . et également les histoires d'horreur de Hitchcock, ou d'anticipation comme 'Towering Inferno' qui décrit ce qui se passe quand un gratte-ciel prend feu et ce qui arrive aux gens qui sont en haut du bâtiment. C'est très prenant! Je n'en connais pas le titre en français, mais j'ai entendu parler d'un film français 'La Tour Infernale' – c'est probablement la même histoire.

? Qu'est-ce que vous lisez pour vous distraire?
Quand lisez-vous?
Etudiez-vous ou avez-vous étudié des textes de littérature anglaise?
Quels en sont les titres en français?
Qui en sont les auteurs?
De quand datent-ils?
Quel genre de lecture préférez-vous?
Est-ce que vous recevez ou achetez régulièrement des magazines ou des illustrés?
Qu'est-ce qu'ils contiennent comme lecture?
Combien est-ce qu'ils coûtent?
Appartenez-vous à une bibliothèque?
Est-ce que vous l'utilisez souvent?
Achetez-vous souvent des livres de poche?
Combien coûtent-ils actuellement?
Combien de livres possédez-vous personnellement?
Quels genres de livres?

X Talk about the sorts of books you like or dislike by using some of the following expressions:

J'aime	les livres	sur . . .
Je n'aime pas tellement		de . . .
		au sujet de . . .
		à propos de . . .
		qui ont pour sujet .
		qui montrent . . .
		qui traitent de . . .
		qui discutent de . .
		qui racontent . . .
		qui retracent . . .

Discuss a book (or several books) which you have read, giving details of the main characters and the plot. Mention only the most important details and keep the sentences simple. The following questions will help you:

Quand est-ce que l'histoire se passe?
Où se passe-t-elle?
Quels en sont les principaux personnages?
Quel est le métier/quelle est la profession du héros/ de l'héroïne?
Qui est son adversaire/ennemi/collègue?
De quelle nationalité sont ces personnages?
Quel genres d'hommes/de femmes sont-ils/elles?
De quoi s'agit-il dans l'histoire?
Comment est-ce que l'intrigue se déroule?

◢ The following notes may be of use in describing the book(s) you have chosen. If not directly relevant, they will show you the sort of answers to be looking for:

dans le passé/de nos jours/dans l'avenir
au 19ème siècle/dans les années 40/en l'an 2000

en Europe/en Asie
en France/au Canada/aux Etats-Unis
dans le nord de la Suisse/sur la côte est de l'Australie
de l'autre côté du rideau de fer

au Proche-Orient/au Moyen-Orient/en Extrême-Orient
dans les Alpes à Paris/au Caire
dans l'espace/sous la mer/dans l'Atlantique
dans les régions polaires

Le héros est Anglais/Belge
Son adversaire est Russe/Transylvanien
L'héroïne est Française/Suisse
Son collègue est Italien/Grec
C'est un Anglais qui . . .
C'est une Espagnole qui . . .

C'est un homme/une femme	courageux/euse
	jaloux/ouse
	peureux/euse
	vicieux/euse
	intelligent(e)
	bête
	habile
	maladroit(e)
	agréable
	déplaisant(e)
	lâche
	cruel(le)

Il s'agit	d'une mission secrète
	d'une expédition
	d'une amitié
	d'un hold-up
	d'une affaire de chantage
	d'un vol
	d'un meurtre
	d'une liaison amoureuse
	d'une aventure
	d'un kidnapping
	d'un attentat
	d'un assassinat
	d'une intrigue policière
	d'une enquête
	d'un détournement d'avion

The following phrases may help in the explanation
of how the plot develops:

Au début de l'histoire . . .
Puis . . . ensuite . . . par la suite . . .
Ayant fait cela, il . . .
A son insu . . .
Quand il apprend | ça   . . .
                 | la vérité
                 | cette nouvelle

Il fait semblant de . . . + infinitive

Il | ne sait pas | que . . .
   | ignore |

Il essaie de . . . + infinitive

Il | comprend | que . . .
   | se rend compte |

Tout le long du roman, il . . .
Vers la fin de l'histoire, il . . .

The single picture

A

This section reviews the question words and instructions you are likely to meet in the single picture test. Sample questions and answers illustrate their various uses and there are notes to explain the more difficult problems. As you attempt the questions on the pictures in section B, refer freely to these examples and notes until you have mastered all types of question.

Qui/qui est-ce qui? who?

Qui arrive?
   —Un/le facteur arrive.
Qui est là aussi?
   —Les parents du garçon sont là aussi.
Qui aide la dame?
   —Personne ne l'aide.

Qui/qui est-ce que? whom?

Qui cherche-t-on?
Qui est-ce qu'on cherche?
   —On cherche un agent de police.

A qui? to whom?/pour qui? for whom? etc.

A qui est-ce qu'il | donne son billet?
                | montre
   —Au contrôleur/à un contrôleur.
Pour qui a-t-il acheté les fleurs?
   —Pour sa femme.

Qu'est-ce qui? what?

Qu'est-ce qui a renversé les œufs?
   —Un chien les a renversés.
Qu'est-ce qui est tombé?
   —Des œufs sont tombés.

N.B. Sometimes the question is more general and requires an explanation rather than a direct answer:

Qu'est-ce qui | se passe?
            | est arrivé?
            | vient de se passer?
   —Les élèves chahutent le prof.
   —Un homme est tombé de son vélomoteur.
   —Une femme vient d'entrer dans le magasin.
Qu'est-ce qui | indique | que l'homme est un touriste?
            | montre |
   —Parce qu' | il porte un guide et un appareil.
   —Du fait qu' |

Que/qu'est-ce que? what?

Qu'est-ce qu'il achète?
   —Il achète un journal.
Que dit-il à sa femme?
   —Il lui dit, 'Aide-moi!'
Que dit-il au garçon?
   —Il lui dit | d'entrer.
             | de ne pas avoir peur.
             | de ne pas pleurer.
Que dit-il à sa femme de faire?
   —Il lui dit de l'aider.

N.B. In questions such as 'Que fait-il?/Qu'a-t-il fait?/ Que fera-t-il?', only repeat the verb **faire** if the expression you wish to use requires it:

Que fait-il?
   —Il fait la vaisselle.
Qu'a-t-elle fait?
   —Elle a fait des commissions.
Que fera-t-il?
   —Il fera du camping.

In all other cases use an appropriate verb in the correct tense:

Il lit/il est en train de lire/il est sur le point de monter dans le car/il vient de monter dans le car/il est descendu du car/il va travailler/il mangera.

51

N.B. The question 'Qu'est-ce qu'il a/qu'a-t-il?' as well as its literal meaning 'what has he got?' also has the idiomatic meaning 'What's wrong with him/what's up with him?':

Qu'est-ce qu'il a?
—Il est malade.
Qu'a-t-il?
—Il a eu un accident.
—Il s'est coupé la main.

Que veut dire . . . ?/Que signifie . . . ?/what does . . . mean?

Que signifie S.N.C.F.?
—Ça signifie 'Société nationale des chemins de fer français'.
Que veut dire 'Consigne'?
—Une consigne est un endroit où vous pouvez déposer vos bagages.

Quoi? what?

Sur quoi est-il assis?
—Sur un banc.
De quoi se sert-il?
—Il se sert d'une scie.
Avec quoi répare-t-il le vélo?
—Avec une clef anglaise.
Dans quoi porte-t-il ses outils?
—Dans un sac.

A quoi sert une canne à pêche?
—Elle sert à attraper les poissons.
A quoi servent les ciseaux?
—Ils servent à couper le papier ou le tissu.

N.B. The question 'à quoi' can also have the more specialised meaning 'by what (feature) . . . ?'

A quoi reconnaît-on les agents de police?
—On les reconnaît à leur uniforme.

Pourquoi? why, for what reason?

Pourquoi est-il furieux?
—Parce qu'on a renversé son vélo.
Pourquoi est-elle venue en ville?
—(Pour) acheter des provisions.

Comment? how?

Comment conduit-il?
—Il conduit vite/à toute vitesse.
Comment aide-t-il sa femme?
—Il l'aide en faisant la vaisselle.
Comment s'amuse-t-il?
—Il s'amuse en jouant aux cartes.
Comment passe-t-il le temps?
—Il passe le temps à jouer aux cartes.
Comment est-ce qu'il réagit?
—Il crie/il est furieux/il éclate de rire.

Comment savez-vous que l'homme à droite est facteur?
—Je le sais à son uniforme.
—Il porte un uniforme.
—A cause de son uniforme.
—Parce qu'il porte │ un uniforme.
—Du fait qu'il porte │

N.B. 'Comment est . . . ?' also has the more specialized meaning 'What is . . . like?':

Comment est l'homme à l'extrême gauche?
—Il est grand/c'est un grand homme.
—Il est barbu/il a une barbe/il a les cheveux courts.
—Il porte des lunettes/il porte un anorak/il fume une pipe.

'Comment a-t-il l'air?' is a similar sort of question and means 'What does . . . look like?' (It can only apply to people.):

Comment a-t-il l'air?
—Il a l'air fatigué.

Comment ont-ils l'air?
  —Ils ont l'air content.

Y a-t-il . . . ? is there/are there . . . ?

Y a-t-il des animaux sur l'image?
  —Oui, il y en a | un.
  | plusieurs.
  | beaucoup.
  —Oui, il y a un cheval.
  —Non, il n'y en a pas.
  —Non, il n'y a pas d'animaux.

Y a-t-il quelqu'un devant le kiosque?
  —Oui, il y a une femme.
  —Non, il n'y a personne.

Combien de . . . ? how much/how many . . . ?

Combien de | cartes | achète-t-elle?
  | pommes |
  —Elle en achète | trois.
  | beaucoup.
  | un kilo.

Combien de temps reste-t-il avant le départ?
  —Il reste (encore) un quart d'heure.
  —Il ne reste que quelques minutes.

Où? where/where . . . to?

Où se passe la scène?
Où va-t-il?
  —En France/à Paris/dans un magasin/ au marché.

N.B. The following prepositions and adverbs are useful for 'locating' something or someone in the picture:

devant . . . /derrière . . . /près de . . . /à côté de . . . /
parmi . . . /à l'extrême droite/au fond (de . . .)/ au
bord de . . . /au milieu de . . . /entre . . . et . . . /
au premier plan/au dessous de . . . /au dessus de . . .

D'où? where . . . from?

D'où vient -il?
  —Il vient | d'Angleterre/de l'Angleterre
  | de Londres
  | de chez lui
  | du marché

Quand? when?

Quand est-ce que la scène se passe?
  —Par un jour d'été/au printemps/à Noël/pendant
  les vacances d'été/pendant les grandes vacances/
  de bonne heure le matin/tard le soir/un matin/
  le soir.

Quand est-ce que le train va partir?
  —Bientôt/tout de suite/dans quelques minutes/ il
  ne va pas tarder à partir/il est sur le point de
  partir.

Depuis quand . . . ? since when?/how long?

Depuis quand sont-ils là?
  —Depuis longtemps/depuis très peu de temps.
  —Ils viennent (tout juste) d'arriver.

Quel(le)(s) . . . ? what, which?

Quelle heure est-il?
  —Il est dix heures.
Quelle est la date?
  —C'est le | premier | mai.
  | deux |

En quelle saison . . . ?
  —En été/en automne/en hiver/au printemps.
Quel temps fait-il?
  —Il pleut/fait beau etc.

N.B. When you have to distinguish between two people or things the question will often involve '**quel(le)(s)**' or one of the forms of '**lequel**':

Quel homme ⏐ a causé l'accident?
Lequel des deux hommes ⏐

    —Le plus grand des deux.
    —L'homme à gauche.
    —L'homme qui se tient à côté de l'agent.
    —Celui* qui porte des lunettes.

Sometimes a question with **quel(le)(s)** requires an explanation:

Quelles sont les indications qui montrent que . . . ?
Quels indices montrent que . . . ?

These should be answered in the same way as 'Qu'est-ce qui indique que . . . ?' and 'Qu'est-ce qui montre que . . . ?'

Sometimes you are asked to find a difference or differences between people or things:

Trouvez une différence entre l'homme qui est assis et l'homme qui est debout.

—Celui qui est assis porte un complet,
⏐ tandis que ⏐ l'autre porte un blue-jean.
⏐ alors que ⏐
—Celui qui est debout fume; l'autre ne fume pas.

Sometimes you are asked to give your opinion:
Diriez-vous que c'est l'été ou l'hiver?

—Je ⏐ pense ⏐ que c'est l'hiver ⏐ parce qu'il neige.
    ⏐ crois ⏐   ⏐ car il neige.
                                ⏐ à cause de la neige.

Pensez-vous que l'homme est en retard?
—Je ⏐ pense ⏐ que oui, car il court.
   ⏐ crois ⏐
—Il me semble que oui, parce qu'il court.
—Je ne ⏐ pense ⏐ pas, car il n'a pas l'air pressé.
      ⏐ crois ⏐
—Je ⏐ pense ⏐ que non, parce qu'il n'a pas l'air pressé.
   ⏐ crois ⏐

Sometimes you are asked to suggest how something happened:

Imaginez comment l'accident s'est produit.
D'après vous ⏐ comment est-ce que l'accident
A votre avis ⏐ s'est produit?
Selon vous ⏐

—Peut-être que le piéton n'a pas fait attention.
—L'homme conduisait peut-être trop vite.
—Peut-être conduisait-il trop vite.

If you can cope with the subjunctive, you could also use the following expressions:

—Il se peut que le piéton n'*ait* pas fait attention.
—Il est possible/probable que l'automobiliste *ait* conduit trop vite.

Celui *must agree as follows:*

quel ⏐
lequel ⏐ —celui qui . . .
quelle ⏐
laquelle ⏐ —celle qui . . .
quels ⏐
lesquels ⏐ —ceux qui . . .
quelles ⏐
lesquelles ⏐ —celles qui . . .

General note on answering questions

Here and in the oral examination generally it is quite
acceptable to answer either with a short, simple
statement or in an incomplete sentence (provided,
of course, that it makes sense). There is no need to
repeat the verb in the question. In the following
answers, for instance, the parts in brackets could
well have been omitted:

(On reconnaît un agent de police) à son uniforme.
(On sait qu'il fait beau parce que) les gens portent
des vêtements d'été.
(Le monsieur qui se tient à la barrière est furieux
parce qu') il ne peut pas trouver son billet.

B

1. En quelle saison pensez-vous que cette scène se passe?

   Où est-ce qu'elle se passe?

   Diriez-vous qu'il fait chaud ou froid?

   Pourquoi êtes-vous de cet avis? Donnez au moins trois raisons.

   Combien de personnes voyez-vous?

   Combien y a-t-il de femmes?

   Qui s'est mis un journal sur la tête?

   Pourquoi a-t-il fait cela?

   Que fait-il maintenant?

   Que fait l'homme qui se tient à côté de la corbeille à papiers?

   Qu'est-ce qu'il peut bien chercher?

   Comment sait-on que cet homme est un clochard?

   Pourquoi la femme est-elle venue au jardin public?

   Qu'est-ce que le bébé a fait avec son ours?

   Est-ce que sa mère a remarqué ça?

   A qui le gardien parle-t-il?

   Qu'est-ce qu'il lui dit de faire?

   Ce gardien, comment a-t-il l'air?

   A quoi reconnaît-on un gardien?

   Combien d'animaux voyez-vous?

   Lequel est le plus grand?

   Trouvez au moins deux différences entre les deux personnes qui emmènent leurs chiens en promenade.

   Pourquoi les chiens sont-ils tenus en laisse?

   Pourquoi la fille semble-t-elle avoir peur?

   Le garçon qui se tient tout près du bassin, comment s'amuse-t-il?

   Avec quoi essaie-t-il d'attraper son bateau?

   Comment est-ce que les deux autres garçons passent l'après-midi?

   Quand ils auront fini de jouer, où vont-ils aller, à votre avis?

   A quoi sert une raquette?

   Y a-t-il un vendeur de glaces?

   Que veut dire S.V.P.?

   Donnez-moi une description du jardin public.

2. Comment sait-on que la scène se passe à Paris?
Diriez-vous que la scène se passe le matin ou le soir?
Pourquoi dites-vous cela?
Quelle heure est-il?
A quoi savez-vous cela?
Que fait le petit garçon?
Pourquoi à votre avis est-ce que la dame entre dans la Poste?
Quels indices montrent que le monsieur qui parle à l'agent est un touriste?
Qu'est-ce qu'il demande à l'agent?
D'où peut-il bien venir?
Quels monuments visitera-t-il pendant son séjour?
A quoi sert une valise?
Quels bâtiments pouvez-vous voir?
Nommez trois autres bâtiments que l'on trouve d'habitude en ville.
Quel est le métier de l'homme qui se tient à la porte du magasin?

Que vend-il?
Que vend-on au tabac?
Que vient de faire la dame qui sort de la cabine?
Combien de clients y a-t-il à la terrasse du café?
La dame qui est assise, qu'est-ce qu'elle a commandé?
Sur quoi le garçon de café lui apporte-t-il ce qu'elle a commandé?
Décrivez le garçon de café.
Quelles différences pouvez-vous trouver entre l'uniforme d'un agent de police anglais et celui de l'agent que vous voyez ici?
Y a-t-il beaucoup de circulation?
Y a-t-il des autos?
Quels véhicules voyez-vous?
Pourquoi le chauffeur s'est-il arrêté?
Parmi les personnes que vous voyez il y en a au moins trois qui connaissent certainement bien la ville. Lesquelles?
Expliquez votre choix.

3. Où est-ce que la scène se passe?
A votre avis pendant quelles vacances se passe-t-elle?
Comment les deux garçons qui sont assis contre le mur sont-ils venus à la plage?
Quelles différences pouvez-vous distinguer entre ces deux garçons?
Lequel vient de nager?
Comment savez-vous cela?
Qui se tient sur les marches?
D'où vient-il?
Qu'est-ce qui lui est arrivé?
Comment est-ce qu'il réagit?
Un homme fait un vilain tour à sa femme. Décrivez ce qu'il lui fait.
Sur quoi est-elle couchée?
Selon vous, qu'est-ce qu'elle lui dira?
Quel choix de parfums de glaces y a-t-il?
Combien coûte une glace?

Que font les enfants devant le kiosque?
Il y a une petite fille sur la plage. Pourquoi a-t-elle peur?
De qui le monsieur prend-il une photo?
Où se tient-il?
Où est le garçon qui pêche?
Avec quoi est-ce qu'il pêche?
Qu'est-ce qu'il espère attraper, selon vous?
Pourquoi a-t-il un seau?
Voyez-vous un bateau? Où est-il?
A qui appartient-il?
L'homme qui se tient devant le magasin, pourquoi y est-il allé, a votre avis?
Quels objets a-t-on laissés traîner sur la plage?
Que pensez-vous de cela?
Où aurait-on dû les mettre?
Décrivez la plage.

4. Où est-ce que la scène se passe?
Quel temps a-t-il fait pendant la nuit?
Comment le savez-vous?
Pensez-vous que la scène se passe le matin, l'après-midi ou le soir?
Donnez au moins deux raisons.
Qu'est-ce qu'on voit à l'extérieur du camping?
Quand on arrive dans un camp de camping, où faut-il aller d'abord? Pourquoi?
Le monsieur en pyjama, que va-t-il faire?
Comment savez-vous cela?
D'où vient la famille dans la caravane?
Qu'est-ce qui vous le fait dire?
Qu'est-ce qui vous donne l'impression que la famille ne s'est pas encore levée?
Laquelle des deux familles s'est levée donc la première?
De quelle nationalité est la famille dans la tente?
Décrivez ce que fait la femme dans la tente.

Pouvez-vous suggérer deux choses que la famille va manger?
Quel est le village le plus proche?
A quelle distance du camping se trouve-t-il?
Comment le savez-vous?
Est-ce qu'on peut acheter des provisions au camping?
Pourquoi dites-vous cela?
Où est-ce que la femme est probablement allée pour en obtenir?
Comment y est-elle allée?
Dans quoi porte-t-elle les provisions?
Pourquoi est-ce que le garçon a un bidon?
Pouvez-vous deviner ce que la famille va faire avec l'eau?
Qui vient tout juste d'arriver au camping?
Pourquoi se sont-ils arrêtés à l'entrée?
Comment portent-ils leurs affaires?
Que veut dire 'Roulez lentement'?
Pourquoi faut-il rouler lentement dans un camping?

5. Où est-ce que la scène se passe?
Combien de garçons de restaurant pouvez-vous voir, y compris le maître d'hôtel?
Qu'est-ce qui distingue le maître d'hôtel des autres garçons?
Où est le maître d'hôtel et que fait-il?
Pourquoi n'offre-t-il pas la table derrière lui au couple qui vient d'arriver?
Quand ce couple aura pris place, combien de tables libres restera-t-il? Expliquez où elles se trouvent.
Comment est-ce que la dame s'est débarrassée de son manteau?
Si le restaurant ferme à onze heures et demie (c'est-à-dire à vingt-trois heures trente) combien de temps reste-t-il avant la fermeture?
Au milieu de la pièce il y a une grande table.
Combien de personnes y sont assises?
Qu'est-ce qu'elles peuvent bien fêter, à votre avis?
Comment sait-on que leur repas est presque fini?
Que fait le garçon qui se tient au bout de la grande table?
Imaginez ce qu'il demande au monsieur.

Que fait l'autre garçon qui est à côté de la même table?
Comment sait-il ce que la dame veut prendre?
Qu'est-ce qu'il a à la main?
Avec quelle main est-ce qu'il coupe le fromage?
Qu'est-ce que c'est que le 'brie'?
Où mènent les portes au fond de la pièce?
Comment peut-on les distinguer l'une de l'autre?
Le garçon à l'extrême gauche, d'où sort-il?
Qui est-ce qu'on voit de l'autre côté de la porte?
Qu'est-ce qui le distingue de toutes les autres personnes?
Passons à la table qui se trouve au premier plan. Qu'est-ce qui montre que le couple est sur le point de sortir?
Où est-ce que le monsieur met l'argent?
Comment sait-il combien il faut payer?
Décrivez cet homme.
Comment savez-vous que les quatres personnes à gauche viennent d'arriver?
Comment savez-vous qu'ils sont prêts à passer leur commande au garçon?
Est-ce qu'on sait le nom du restaurant?

6. Comment s'appelle un bâtiment de ce genre?
Combien d'appartements y a-t-il, si on ne compte pas celui du concierge?
Pourquoi l'homme est-il venu à la loge du concierge?
Pouvez-vous suggérez ce que l'homme a demandé à la femme du concierge?
Qu'est-ce qu'elle était en train de faire quand il l'a appelée?
Comment est-ce qu'on appelle le concierge dans ce bâtiment?
Le concierge lui-meme n'est pas au rez-de-chaussée. Où est-il?
Qu'est-ce qu'il y fait?
Qu'est-ce qu'on y met?
Quels moyens y a-t-il d'habitude de monter aux étages supérieurs?
Pourquoi les gens ne se servent-ils pas de l'ascenseur?
Comment sait-on quelle heure il est?
Regardez le premier étage. Que fait la femme qui se tient à la porte de l'appartement?
L'autre femme ne l'entend pas. Pourquoi?
Combien d'hommes sont au numéro deux?
Pourquoi y sont-ils venus?
Qu'est-ce qu'ils portent?

Pourquoi ne sont-ils pas habillés normalement?
Lequel des hommes est en train de tapisser?
Que fait l'autre?
Celui à droite, sur quoi se tient-il?
Qui se tient à la porte de l'appartement numéro deux?
Passons au troisième étage. Laquelle des trois personnes est malade?
Qu'est-ce qu'il a, à votre avis?
Pourquoi est-ce que la femme a l'air inquiet?
Le médecin est arrivé, n'est-ce pas? Que fait-il au lieu de sonner?
A quoi est-ce qu'on reconnaît qu'il est médecin?
Imaginez ce qu'il fera quand il entrera.
Au quatrième étage il y a une femme qui se tient sur le palier. D'où vient-elle?
Qu'est-ce qu'elle est sur le point de faire?
Avec quoi?
Où est-ce que son mari est assis?
Comment passe-t-il le temps pendant l'absence de sa femme?
Qu'est-ce qu'il a fait avant de s'asseoir?
Décrivez l'émission qu'il regarde.
Où est-ce que les locataires peuvent stationner?

7. Où est-ce que la scène se passe?
Est-ce qu'elle se passe le matin?
Comment en êtes-vous sûr?
Décrivez l'homme qui se tient devant le kiosque.
Que fait-il?
Racontez ce qu'il dit à la vendeuse.
Qu'est-ce qu'il peut bien porter dans son sac?
D'après vous, qu'est-ce qu'il va faire quand il arrivera à sa destination?
Une dame est venue au bureau de renseignements.
Qui est avec elle?
Où est-ce qu'elle va avec lui?
Comment savez-vous cela?
Imaginez ce qu'elle demande à l'employé du bureau.
L'homme au premier plan à droite semble attendre quelqu'un. Qu'est-ce qui donne l'impression qu'il s'impatiente?
Que fait la jeune femme qui se tient devant le distributeur de tickets?
Est-ce qu'elle va faire un voyage?
Comment en êtes-vous sûr?
Pourquoi veut-elle donc aller sur le quai?
Combien de personnes y a-t-il devant chaque guichet?

Que font-ils?
Imaginez ce qu'ils demandent aux employés.
Regardez l'homme qui s'approche de la barrière.
Qu'est-ce qu'il doit faire avant d'aller sur le quai?
De quel quai est-ce qu'il s'approche en fait?
Le train pour Orléans, à quelle heure part-il?
S'il part à l'heure, combien de temps est-ce qu'il reste avant le départ?
Que veut dire le mot 'horaire'?
Le monsieur qui descend les marches, comment va-t-il rentrer chez lui?
Quels autres moyens de transport y a-t-il pour rentrer chez soi?
Qui est l'homme au fond qui met la valise dans le coffre de la voiture?
A qui appartient la valise?
A votre avis, pourquoi la dame est-elle allée à la consigne?
Qui appelle-t-on si on ne peut pas (ou ne veut pas) porter ses propres bagages?
En voyez-vous dans cette scène?
Où est-il?
Qu'est-ce que la dame lui a donné à porter?

8. Quelle est la date?

Comment savez-vous cela?

En quelle saison la scène se passe-t-elle donc?

Dans quelle pièce est-ce qu'elle se passe?

Pourquoi ces jeunes gens ne sont-ils pas à l'école?

Qu'est-ce qui montre que la scène se passe en Angleterre?

Quelle autre pièce est-ce qu'on peut voir au fond?

Que fait l'homme qui est dans cette pièce?

Qui est-il, selon vous?

Est-il de bonne humeur, à votre avis?

Pourquoi dites-vous cela?

Comment sait-on que la femme qui se tient près de la porte est sur le point de sortir?

A quoi voit-on qu'il fait mauvais?

Pourquoi à votre avis est-ce que la fille qui arrive porte un bouquet de fleurs?

Comment est-ce que les garçons qui sont assis à la table passent le temps?

Que fait celui à droite pendant que l'autre lui tourne le dos?

Qui a vu ce qu'il fait?

Quelle est sa réaction?

Qu'est-ce qu'elle leur apporte?

D'où vient-elle donc?

A qui a-t-elle déjà donné du café?

Que fait la fille à l'extrême droite?

Pourquoi à votre avis le garçon se tourne-t-il vers elle?

Imaginez ce qu'il lui dit (de faire).

Décrivez le couple au premier plan à gauche.

Qu'est-ce qu'ils peuvent bien chercher dans le journal?

Combien de personnes pouvez-vous voir en tout?

Quels meubles voyez-vous?

Où est le calendrier?

Où y a-t-il une lampe?

Est-ce qu'il y a un piano dans cette pièce?

Pouvez-vous voir des animaux? Où ça?

Picture stories for narration in the past tense

A

Picture stories encountered in the examination can range from the 'amusing incident' (absent-minded teacher wears wife's hat to school!) or the 'dramatic incident' (boys are cut off by rising tide) to a simple description of someone's routine (boy getting ready and going to school). The people involved range therefore from a 'typical' family of four to policemen, bank-robbers, firemen and other exciting, if rather melodramatic, characters. Not all of the following tips and exercises will apply to every picture story you meet, but many of them certainly will. If you work through them systematically and refer to them as you tackle Section B, you'll be able to face this particular test with confidence.

1. Every picture story involves actions; actions are expressed by means of verbs. Your first step should therefore be to revise thoroughly regular and irregular verbs, particularly in the perfect, imperfect and pluperfect tenses.

2. A piece of advice often offered is 'If you don't know it accurately, don't attempt to use it!' Perhaps a more positive approach to cultivate would be 'Keep it simple!' Here are some examples of a simple expression conveying quite adequately a rather complicated idea:

a *Basic idea:* 'The horse reared up . . . '
   Simplified idea: 'The horse was frightened . . . '
   Expressed as: 'Le cheval a eu peur . . . '

b *Basic idea:* 'The case burst open . . . '
   Simplified idea: 'The case opened . . . '
   Expressed as: 'La valise s'est ouverte . . . '

c *Basic idea:* 'The tide was coming in . . . '
   Simplified idea: 'The sea/water was rising/approaching . . . '
   Expressed as: 'La mer/l'eau montait/s'approchait . . . '

d *Basic idea:* 'The boy grazed his leg/sprained his ankle etc. . . . '
   Simplified idea: 'The boy hurt himself . . . '
   Expressed as: 'Le garçon s'est blessé . . . '

e *Basic idea:* 'She really enjoyed the meal/evening . . . '
   Simplified idea: The meal was delicious/evening was pleasant . . . '
   Expressed as: 'Le repas était délicieux/la soirée était agréable . . . '

If you can use a more difficult expression accurately, do so. If not, think simple!

Find simple verbs/expressions to convey the following ideas. Deal with them in two stages as in the examples above:

He fumbled for the key in his pocket
He contacted the police
He checked in at the hotel
He was in the bus queue
He had overslept
He was made to open his case
He was busy in the garden
He was kept awake
He was in great pain
He ran into difficulties
The food was uneatable
The policeman took down her particulars!

3. Telling one of these stories is really a matter of asking yourself and then answering a series of questions about it. Some questions are relevant to all picture-stories. The following ones will help you get off to a confident start:

Où est-ce que | cette histoire | s'est passé(e)?
              | l'incident | a eu lieu

Imagine that you are starting off a number of different stories by answering the above questions about each of the following pictures. Where possible, find more than one expression per frame, for example 'à la plage = au bord de la mer = à la côte'.

Without the help of a picture stimulus, think up another 20 places where a picture-story incident might occur.

4. Another question which is always relevant is 'De qui s'agissait-il?' or 'De qui était-il question?' or 'Qui en etai(en)t le(s) personnage(s) principal/principaux?'.

Imagine that the following pictures are the first frames of 10 different stories. Introduce the characters. The sort of structures you should use are:

Il | s'agissait | d'un(e) . . . . . . qui . . . . . .
   | était question |

Le personnage principal était un(e) . . . . . . qui . . . . .

Without the help of a picture stimulus, think up another 20 people or combinations of people who might feature in a picture-story.

N.B. When a number of people are involved, they can be referred to by using a collective noun (a group of . . . , a class of . . . , etc.) In English we can sometimes use the singular or plural with such expressions (the audience has/have arrived), but in French the singular form must always be used.

5. If, during the course of the story, a particular incident occurs, answer one of the following questions:

Que faisait X	
Que faisaient X et Y	quand l'incident est arrivé?

Où était X	
Où étaient X et Y	quand l'incident a eu lieu?

Qu'est-ce que | X était / X et Y étaient | en train de faire . . .?

Explain what the following people were doing or where they were when a certain incident occured:

Without the help of a picture stimulus, think up another 20 examples of the above.

N.B. The following expressions are a little more precise than 'X était . . .'. How many of them could you have used to describe the pictures above?

X se tenait . . .
X était assis . . .
X était | étendu . . .
         | couché . . .
         | allongé . . .
X était à genoux . . .

6. Is time an important factor in setting the scene? If so, use an expression like one of the following:

Au début de l'histoire il était huit heures . . .
L'histoire a commencé | de bonne heure le matin
                      | à l'aube
                      | au coucher du soleil
L'histoire s'est passée pendant la nuit.

7. Is the weather an important factor? If so, set the scene by using an imperfect tense:

Il – ait ce jour-là . . .
Think of 10 examples.

Does a change in the weather play an important part in the story? If so, indicate this by using the perfect tense:

Puis | le temps a changé . . .
     | le temps a tourné au beau . . .
     | il y a eu un grand coup de vent . . .

Three useful verbs to use to indicate a change in the weather are: 'se mettre à/commencer à/cesser de' all of which are followed by an infinitive. Make up ten examples using them with expressions concerning the weather.

8. Sometimes the status of the people in the story, or their relationship to one another, is not clear. In such cases, it is in order for you to make a suggestion:

Deux garçons, | je | pense | que c'étaient des frères
              | | présume |
              | | suppose |

              | peut-être étaient-ce des frères
              | des frères | sans doute
              | | sûrement
              | | peut-être

Think of possible relationships and/or status for the following people:

Deux filles . . .
Un garçon et une fille . . .
Un vieil homme et deux enfants . . .
Un homme en uniforme . . .
Un homme avec un groupe de jeunes gens . . .
Une jeune femme assise dans un bureau . . .
Deux teenagers . . .
Un homme en bleu de travail . . .
Une femme et un petit garçon . . .
Un jeune homme avec un sac à dos . . .

9. If you think it necessary, describe the characters. The following model will give you some ideas and help remind you of the position of adjectives:

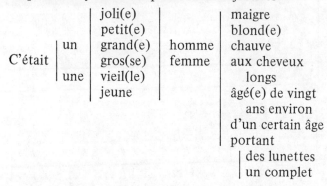

In order to practise this, describe one or two people you know (a friend, your French teacher, your headmaster?)

10. If the story involves a series of actions, the following adverbs are useful for indicating progression:

D'abord . . . puis . . . ensuite . . . ayant fait cela . . . après cela . . . (puis, quelques minutes) plus tard . . . | finalement.
      | enfin.

Practise the above by listing the things you did this morning before you arrived at school, the things you did last Saturday or before you set off on a journey somewhere.

Another important way of showing progression is the use of:

après | avoir | + past participle
     | être |
     | s'être |

ayant | + past participle
étant |
s'étant |

e.g. Il a lu la lettre puis il a téléphoné à son chef.
Après avoir lu | la lettre il a téléphoné à son chef.
Ayant lu |

Il s'est lavé puis il s'est couché.
Après s'être | lavé il s'est couché.
S'étant |

Practise these two structures by changing the following sentences as in the examples above:

Ils sont arrivés en France puis ils ont cherché un camping.
Elle a vidé son sac puis elle a commencé à préparer un repas.
Il a pris un café puis il s'est remis en route.
Elle s'est reposée un peu puis elle est sortie.
Il a réparé le pneu puis il a pu continuer son voyage.
Il est rentré chez lui et il a téléphoné tout de suite à la police.
Elle a écrit la lettre et l'a mise à la poste.
Ils se sont levés de bonne heure et ont commencé à décorer le salon.

11. Sometimes in the story two activities are going on at the same time. If you are setting the scene before an incident occurred, you will need to use the imperfect tense:

Pendant que X —ait, Y —ait.
X —ait, | tandis | que Y —ait.
    | alors |

Practise these structures by describing what the people are doing in the following pictures:

Without a picture stimulus, make up 10 more examples of your own.

If, however, the two actions are incidents in their own right, you will need to use the perfect tense:

X	a (+ past est participle), s'est	tandis alors	que Y	a (+ past est participle) s'est

Practise this structure by comparing the actions of the two people in each of the following pictures:

Without a picture stimulus, make up 10 more examples of your own.

Sometimes one action serves as a background to another. In this case, the background action is expressed by use of the imperfect tense and the 'incident' must be in the perfect tense. Look at these examples:

Pendant qu' Alors qu'	il descendait la rue, il a remarqué un

homme qui se tenait à l'angle de la rue.

Pendant qu' Alors qu'	il montait l'échelle, son pied a glissé

et il est tombé.

Practise these structures by linking the following pairs of phrases:

Background	Action
descendre la rue	glisser sur le verglas
scier du bois	se couper la main
réparer la voiture	se coincer les doigts
nager	avaler de l'eau/'boire une tasse'
faire du skateboard	heurter une dame
passer devant la mairie	voir un accident
attendre l'autobus	faire la connaissance d'un Français
déménager	casser de la vaisselle
prendre le café	entendre frapper à la porte
se promener	trouver un portefeuille

There is another structure which can be used in this situation but only when both actions are carried out by the same person. Look at the following examples:

(Tout) en descendant la rue il a remarqué un homme qui . . .

(Tout) en montant l'échelle il a glissé.

Use this structure to link the phrases in the previous exercise.

12. If the story hinges on a particular incident, event or accident, you can introduce it by means of an expression like the following:

Puis (soudain) quelque chose | d'imprévu | est arrivé.
| de terrible |
| d'amusant |

The incident/event/accident will, of course, be expressed in the perfect tense and will usually answer one or more of the following questions:

Qu'est-ce qui | est arrivé ?
| s'est passé

Qu'est-ce que le personnage a fait?
Comment est-ce que le personnage a réagi?

Practise the use of the perfect tense by describing the actions in the following pictures. The verbs given are only suggestions; if you can think of any alternatives, use them:

heurter/avoir un accident/renverser
lâcher/laisser tomber
courir à . . . /aller à . . . /se précipiter vers . . .
aider/sauver/saisir
arrêter/mettre la main sur . . . /se jeter sur . . .
aller chercher/trouver
soigner/bander
prendre/voler

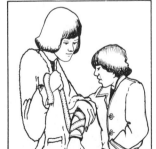

The following expressions are useful for showing a character's reaction to a certain incident:

être furieux
se fâcher
se mettre en colère
être très | content
            | heureux
être ravi
être fier
avoir peur
avoir honte
être vexé
se sentir | gêné
            | bête
            | dans l'embarras
            | embarrassé
            | mal à l'aise
être déçu
rire/éclater de rire
pleurer/fondre en larmes

Which ones best describe the reactions of the people in the following pictures?

13. The turning point in a story is often the noticing of a situation by one of the characters via one of his/her senses. Look at the following examples:

voir | + noun
remarquer | + infinitive
| que . . .

Il a vu un chien énorme.
Il a vu arriver deux hommes.
Il a vu que la porte était entr'ouverte.

entendre | + noun
| + infinitive
| que . . .

Il a entendu des cris.
Il a entendu crier un enfant.
Il a entendu que quelqu'un était en bas.

sentir + noun

Il a senti | de la fumée.
| des gouttes de pluie.

apercevoir + noun

Il a aperçu un agent de police.

se rendre compte | que . . .
| de + noun

Il s'est rendu compte qu'un élève manquait!

Il s'est rendu compte de son erreur.

14. Many picture-stories imply dialogue and it is quite admissible to introduce it. Indirect speech, however, sounds infinitely more polished than this sort of thing:

'. . . et il a demandé, 'Veux-tu aller au cinéma?' et elle a répondu, 'Oui, je veux bien' et il a dit, 'Bon, je vais . . . ' etc.

The three kinds of indirect speech which need to be mastered are:
a. Indirect statements
b. Indirect questions
c. Indirect commands

a. **Indirect statements**

Note the changes in tense:

'I *am* . . . ' | He said that he *was* . . .
Present | Imperfect
'I *did* . . . ' | He said that he *had done* . . .
Perfect | Pluperfect
'I *shall* . . . ' | He said that he *would* . . .
will . . . |
Future | Conditional

There are many verbs which can introduce the indirect statement; for the purposes of this practice we will confine ourselves to:

Il a dit à X
Il a expliqué à Y | que . . .
Il a répondu à Z

Use these structures to put the following statements into indirect speech. Check the tense changes carefully and remember to change other parts of speech where the sense demands this. You should invent the person who is being spoken to; the speaker can, of course, be either male or female:

e.g. 'J'ai beaucoup de devoirs à faire.'
Il a dit à son ami qu'il avait beaucoup de devoirs à faire.

'Je ne me sens pas bien.'
'Je ne veux plus jouer.'
'J'ai faim.'
'On a volé mon portefeuille.'
'La police va arriver bientôt.'
'Je t'aiderai.'
'Je n'ai pas vu le piéton.'
'Je me suis trompé de train.'
'Le bus est déjà parti.'
'Nous mangerons au restaurant.'
'C'est vraiment délicieux!'
'C'est moi qui l'ai fait!'

The following words and expressions also have to be changed:

aujourd'hui	*becomes*	ce jour-là
demain		le lendemain
hier		la veille
ce matin		ce matin-là
cet après-midi		cet après-midi-là
ce soir		ce soir-là

b.   Indirect questions

The same tense changes apply as for indirect statements. The most useful structure is:

Il a demandé à X | si . . .
| où . . .
| ce que . . .
| pourquoi . . .

Try using it to put the following questions into indirect speech. Again you should check the tense changes carefully, and change any other parts of speech where the sense demands it:

e.g.   Où vas-tu?
      Il a demandé à son copain où il allait.

'Quelle heure est-il?'
'Veux-tu jouer aux boules?'
'Vas-tu m'accompagner?'
'Comment est-ce que l'accident s'est passé?'
'Y a-t-il du courrier pour moi aujourd'hui?'
'Qu'est-ce qui se passe?'
'Pourrez-vous réparer la voiture avant demain?'
'Où as-tu mis la clef?'
'As-tu de l'aspirine?'
'Quand passeras-tu me chercher?'
'Avez-vous trouvé un portefeuille?'

c.   Indirect commands

There are several verbs which introduce indirect commands, but for the purposes of this practice exercise we shall use the following structure:

Il a dit à X de + infinitive

Note very carefully the position of the negative when applied to an infinitive:

Il a dit à X de ne pas + infinitive

Try this structure in the following situations:

e.g.   'Prenez mes bagages!'
      Elle a dit au porteur de prendre ses bagages.

'Ecoute!'
'Regarde!'
'Entre!'
'Asseyez-vous!'
'Arrêtez-vous!'
'Dépêche-toi!'
'Amuse-toi bien!'
'Ne conduis pas si vite!'
'Ne sois pas si bête!'
'N'aie pas peur!'
'Venez tout de suite!'
'Ne touche pas à ça!'
'Montrez-moi vos papiers!'
'Suivez-moi!'

15. Finally, here are a few phrases which could be used to round off a story:

Donc l'histoire | s'est terminée | dans la joie
| a fini | joyeusement
| a pris fin | un peu tristement

Tout est bien qui finit bien!
X s'en est tiré à bon compte!
X l'a échappé belle!
X a eu de la chance, n'est-ce pas?
X est arrivé sain et sauf (saine et sauve).
On était très fier | de lui.
| d'elle.
Tout était redevenu calme.
X était désolé.
C'était bien mérité!
C'était bien fait pour | lui/eux.
| elle/elles.

Et voilà!

B

1. **a** venir à l'école
   descendre du car

   b traverser la rue
   aller dans un magasin
   entrer

   c acheter des cigarettes/des allumettes
   sortir du magasin
   cacher les cigarettes

   d se cacher (derrière . . .)
   allumer les cigarettes
   s'approcher de . . .
   ne pas remarquer

   e surprendre les élèves à + infinitive
   sermonner les garçons
   confisquer les cigarettes

   f rentrer dans la salle des profs
   s'asseoir
   fumer
   être puni(e)(s)
   devoir rester dans le couloir
   envoyer au piquet

2. **a** rentrer | à la maison
               | chez soi
               | de l'école
    regarder par la fenêtre
    voir (arriver) . . .
    entrer dans la maison

  b se mettre à table
    prendre | le goûter
            | une tasse de thé
    verser | du thé
    servir |

  c commencer à faire les devoirs
    lire/écrire
    faire la vaisselle

  d changer de vêtements/se changer
    ôter | l'uniforme
    enlever |
    mettre | des vêtements décontractés
            | un jean etc.
    se brosser les cheveux
    s'apprêter à sortir

  e dire au revoir à . . .
    sortir de la maison
    porter | un casque
    mettre |
    monter | sur . . .
            | derrière . . .

  f aller à . . .
    se | réunir
      | rencontrer
      | rassembler
    attendre

3. a   entrer dans . . .
      regarder
      chercher

   b   aider à choisir
      montrer . . . à . . .
      suggérer
      prendre

   c   choisir | un livre
      acheter |
      payer |

   d   envelopper | les cadeaux
      emballer |
      étiqueter |

   e   enlever | les cadeaux
      distribuer |
      offrir . . . à/s'offrir

   f   défaire/déballer
      se rendre compte | que . . .
      découvrir
      éclater de rire

4. **a** parler | ensemble
bavarder |
avoir un problème
acheter | des billets | pour . . .
recevoir | | de . . .
obtenir
expliquer

b appeler sa fille
discuter le problème
offrir de + infinitive
présenter . . . à

c arriver
. être prêt(e)(s) à sortir
sortir
se mettre en route pour . . .

d s'installer sur le canapé
se mettre à lire
être en train de lire
descendre
ouvrir la porte
s'ouvrir

e allumer | le poste (de télévision)
mettre |
regarder la télé
grimper sur . . .
faire des bêtises
mettre . . . en désordre

f s'endormir
être fatigué(e)
s'écrouler dans un fauteuil
retourner
avoir un choc/une surprise
être choqué(e)(s)/être surpris(e)(s)

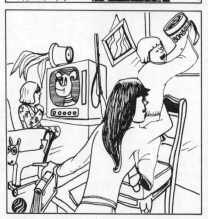

5. **a** être au lit
      dormir
      se réveiller
      entendre un bruit
      allumer la lampe
      dire à son mari de + infinitive

   b mettre sa robe de chambre etc.
      se lever
      rester au lit

   c aller à la porte
      ouvrir la porte
      dire à sa femme de + infinitive

   d descendre
      saisir/prendre/s'armer de . . .

   e ouvrir la porte (toute grande)
      se précipiter dans la cuisine
      tenir le parapluie

   f voir | que . . .
      trouver |
      faire tomber une assiette
      manger
      sauter par la fenêtre
      sortir

7.

9.

10.

Role-play

A

The role-play card gives you a set of instructions; not only do you have to follow these, but you also have to react appropriately to the various changes in the situation introduced by the other 'character' (i.e. the examiner). This requires common sense, imagination, and practice. It is impossible to cover all of the problems and complications which could arise, but the following notes and exercises will give you plenty of practice and help your general approach.

Preliminary advice

1. Think of the most straightforward way of communicating the information. Avoid unnecessarily complicated sentences:

   e.g. If the card instructs you to ask which office deals with work permits, ask: 'Quel est le bureau des permis de travail?' If it instructs you to ask how much longer the journey is going to take, ask: 'Quand est-ce qu'on arrive?'

2. Always address 'strangers' and take leave of them formally:

— Pardon, monsieur. Je m'excuse de vous déranger, mais . . .

— Bonjour, madame. Pourriez-vous m'aider. J'ai un petit problème . . .

— Merci beaucoup, mademoiselle, et au revoir.

3. You will usually be dealing with a 'stranger', but must be prepared for both the formal and the familiar form of address and never confuse the two. The following exercise will give you some practice:

   N.B. When speaking to a friend or correspondant: tu, ton/ta/tes, te, toi.

   When speaking to an adult: vous, votre/vos.

Give the alternative form of each of the following sentences by changing the parts in italics:

Veux-tu m'aider?

Il y a du courrier pour *toi*.

*Puis-je t'*aider à porter *tes* bagages?

Sais-tu où se trouve le syndicat d'initiative?

Tu n'as pas reçu la lettre que je *t'*ai envoyée?

Regardez! Vous vous êtes trompé.

On vient de téléphoner. *Vous devez* rappeler tout de suite.

Attendez-moi ici! Je vais chercher *vos* affaires.

Dites-moi, à quelle heure *allez-vous* arriver?

Suivez-moi, je *vous* montrerai où c'est.

Your approach

When you approach the other 'character' you will be doing one of the following:

a Making a statement (in any of several tenses and possibly in the negative)

b Asking a question

c Giving an order

a *Making a statement*

The following phrases are well worth learning:

Je viens de + infinitive

Je (ne) vais (pas) + infinitive

Je voudrais + infinitive

Je (ne) veux (pas) + infinitive

Je (ne) peux (pas) + infinitive

J'aimerais + infinitive

J'ai / Je n'ai pas | l'intention de + infinitive

J'ai / Je n'ai pas | envie de + infinitive

Je préférerais (ne pas) + infinitive

Je dois + infinitive

Il me faut / J'ai besoin de | + infinitive or noun

93

Try the following exercise which gives you practice
at making statements in various tenses:

Tell | the man that . . .
Inform |
Explain to |

. . . you have just arrived in the town.
. . . you'll be staying a fortnight.
. . . you would like to buy a guide-book.
. . . you have no French money.
. . . you must change some English money.
. . . you have forgotten to bring your passport.
. . . you didn't know that it was necessary.
. . . you don't really fancy waiting; you're in a hurry.
. . . you will return tomorrow.
. . . you received no letter before your departure.
. . . you would like to see the man in charge.
. . . you would prefer to speak to him personally.
. . . you can't go back to your hotel; it's too far.
. . . you need a taxi urgently.

b *Asking a question*

Remember that there are three different ways of
phrasing a question: by inversion of subject and verb,
by using 'est-ce que . . . ?' and by the tone of the
voice. Look at the following examples:

Est-ce que le train pour Nice est déjà parti?
Est-il déjà parti, le train pour Nice?
Le train pour Nice . . . est-il déjà parti?
Il est déjà parti, le train pour Nice?
Le train pour Nice . . . il est déjà parti?
Le train pour Nice est déjà parti?

Some of these would not be acceptable in written
French, but in spoken French they sound quite
natural.

The following phrases are well worth learning:

Avez-vous (vu/trouvé/reçu etc.) . . . ?
Auriez-vous par hasard . . . ?
Pouvez-vous + infinitive?
Pourriez-vous + infinitive?

Pouvez-vous | me recommander | . . . ?
            | me suggérer |
Puis-je | + infinitive?
Peut-on |
Est-ce qu'on a le droit de + infinitive?
Faut-il absolument | + infinitive?
                   | que je + subjunctive?
Y a-t-il | un . . . ?
         | une . . .
         | des . . .
Est-il | possible | de + infinitive?
       | permis |
Y a-t-il moyen de + infinitive?
Me faut-il | + infinitive or noun?
Ai-je besoin de |
Pour aller à . . . ?

Try the following exercise to practise asking
questions:

Ask the man . . .
Enquire . . .

. . . how to get to the town hall.
. . . who is in charge.
. . . whether you have to book in advance.
. . . whether smoking is allowed.
. . . whether you can leave your luggage here.
. . . whether they are open on a Saturday.
. . . whether you have to pay now.
. . . whether he has a plan of the town.
. . . whether he has received a letter from your bank.
. . . when the doctor will be back.
. . . where you must go now.
. . . whether there is a bank nearby.
. . . whether there is any way of changing money on
a Sunday.
. . . whether he can recommend another hotel.

c *Giving orders*

Apart from using the imperative of the verb
(Donnez-moi . . . !/Attendez!/Expliquez-vous!)

there are the following ways of getting people to do things; they are much more polite than a simple imperative:

Est-ce que vous pouvez | + infinitive?
Est-ce que vous pourriez |
Pouvez-vous |
Pourriez-vous |

Voulez-vous (bien) | + infinitive?
Voudriez-vous |

In certain circumstances the future or present tense can also convey the same idea, particularly when you are being served somewhere (viz. shop/restaurant/box-office). It is not impolite, although it may appear so to the English ear:

Vous | me donnez | s'il vous plaît . . .
| m'apportez |
| me réservez |
| me donnerez |
| m'apporterez |
| me réserverez |

Try the following examples:

Tell the man to . . .

. . . listen to you.
. . . fetch the manager.
. . . bring the menu and wine list.
. . . bring the bill.
. . . phone for a doctor.
. . . reserve two seats for Thursday night.
. . . give you a second class return to Le Havre.
. . . give you the key to room 111.
. . . give you back your passport.
. . . have another look.
. . . ask someone else.
. . . explain how the lift works.

The follow-up

In this part of the 'conversation' you can no longer rely on what you have prepared from the instructions on the card; here you are called upon to react spontaneously to new elements introduced by the examiner. Your follow-up will probably fall into one of the following categories:

a Giving an emotional response.
b Giving further information.
c Asking for further information.
d Making a suggestion or a choice.
e Repeating information or checking change.

a *Giving an emotional reaction*
The following expressions are well worth learning:

Agreement & acceptance

Oui, je veux bien.
Entendu.
Bien sûr.
Oui, si | c'est possible.
| ça peut se faire.
D'accord (pour lundi).
Oui, ça me | convient | à merveille.
| conviendrait |
Avec plaisir.
Volontiers.
Certainement.
Ce serait très gentil (de votre part).
Ça, c'est une très bonne idée.
Je vais suivre votre conseil.
Je vais faire ça.
C'est ce que je vais faire.

Pleasure, satisfaction, relief

Formidable!
Chouette (alors)!
Quelle chance!
Quel soulagement!

Disagreement & refusal

Ça, non!
Ce n'est vraiment pas la peine.
Non, ça ne me convient pas (du tout).
Malheureusement . . .
Ça ne va pas (du tout).
Ce n'est pas possible.
C'est impossible.
Ça, c'est trop cher/tôt/tard etc.

Annoyance, displeasure, indignation

Zut, alors!
Ça, alors!
C'est un peu raide, voyons!
C'est vraiment | gênant   !
              | embêtant!

C'est | inouï!
      | honteux!
      | incroyable!

Regret, worry, despair

Quel dommage!
Ça me pose des problèmes, car . . .
Ça, c'est vraiment inquiétant, car . . .

Je ne sais (pas) quoi faire, alors!

Que me | recommendez-vous, | alors?
       | proposez-vous, |
       | suggérez-vous, |

Qu'est-ce que vous me conseillez de faire, alors?
Excusez-moi!
Je suis vraiment | navré.
                 | désolé.
On ne m'avait rien dit.
Je ne savais pas (ça).

Surprise

Hein!
Quoi!
Comment!
Vous en êtes | sûr   ?
             | certain?

Que c'est | cher!
          | tôt!
          | tard!
          | compliqué! etc.

Thanks

Merci bien (pour votre aide).
Merci beaucoup (pour votre conseil).
Je vous remercie (de m'avoir aidé).

When you are thanked

De rien, monsieur.
Je vous en prie, madame.
Il n'y a pas de quoi, mademoiselle.

Practise the use of the above by choosing suitable reactions to the following developments. You need not stick to the list; if you can think of any other, more suitable phrases, use them. You should also add any other comments you think relevant to the situation:

Situation	Comment
You had lost your passport.	'On a trouvé votre passeport sur le bateau.'
You have left your papers at the hotel.	'Sans papiers d'identité je ne peux rien faire pour vous.'
You want certain information.	'Je ne suis pas au courant. M. Jamet revient dans une heure et pourra vous aider. Voulez-vous attendre?'

Situation	(response)
You are waiting for someone's return.	'Puis-je vous offrir un café en attendant?'
You are being detained by officials.	'Même si vous manquez votre train, j'insiste que vous attendiez!'
Your luggage has been sent on ahead.	'Vos bagages ne sont pas encore arrivés.'
You are waiting for your flight.	'Votre vol a trois heures de retard.'
You are being offered various appointment times.	'Je peux vous offrir mardi à 14 heures.'
You arrive at a bank at closing time.	'Je regrette . . . on ferme!'
You have problems with a form.	'Voulez-vous que je vous aide à la remplir?'
You have a serious legal problem.	'Je vous conseille de téléphoner au consulat britannique.'
Something has been broken at your hotel.	'Vous avez à payer les dégâts.'

Situation	(response)
You feel unwell.	'Qu'est-ce qui ne va pas exactement?'
You have witnessed an accident.	'Qu'est-ce qui s'est passé exactement?'
A letter of yours can't be traced.	'Quand est-ce que vous l'avez envoyée exactement?'
You have asked for information at a syndicat d'initiative.	'Qu'est-ce qui vous intéresse en particulier?'
You are arranging by telephone to meet someone.	'Comment est-ce que je vous reconnaîtrai?'
You arrive at a camp site with friends.	'Vous êtes combien?'
You answer the phone at your correspondant's flat.	'Allô–c'est bien le 31-01-48 à Drancy? Monsieur Riault?'
You want a garment cleaned.	'Vous restez encore combien de temps en France?'

b Giving further information

Supply the details asked for. Use your imagination – in some cases there are several possibilities and you should pursue them all.

Situation	Examiner's follow-up question
You arrive somewhere.	'Mais qui êtes-vous exactement?'
You have lost a coat.	'Pouvez-vous me le décrire?'
You take back a faulty article.	'Quand l'avez-vous acheté exactement? Où est le reçu?'
You have been given the wrong information.	'Pourriez-vous me décrire le monsieur qui vous a servi?'
You have lost your passport.	'Où avez-vous été depuis votre arrivée?'
You have broken down and are phoning a garage.	'Quelle marque de voiture est-ce? Quel modèle? De quand est-elle?'

c Asking for further information

Situation	You ask . . .
You have missed the ferry.	. . . when the next one leaves.
You have missed the train.	. . . whether there is another one this evening.
Your car has been towed in.	. . . whether it can be mended straight away.
You have bought something.	. . . whether you can have a receipt.
You had brought some films in for developing.	. . . whether they will post them on to you at the address you give them, as you've been called back to England.
You have been given some pills.	. . . how many must you take at a time and how often.

You have to pick something up at the last minute.	. . . what time they open on the day of your departure.
You have been buying souvenirs.	. . . what they recommend for a boy of 14 costing between 30F and 40F.
You have to pay for something.	. . . whether you can pay by cheque.
Someone has been unable to help you.	. . . to whom you can go for advice.
You are booking tickets.	. . . which seats are still available.
You have been asked to open one of your cases.	. . . which one he wants you to open.

d *Making suggestions, making decisions, choosing*

The following phrases are useful when you have to make a choice of some kind:

Je prends (plutôt) + noun

Je | préfère | (plutôt) + noun
   | préférerais |

J'aimerais mieux + noun

J'aimerais mieux (ne pas) + infinitive

Je | préfère | (ne pas) + infinitive
   | préférerais |

Je vais (plutôt) + infinitive

Je crois qu'il | vaut | mieux + infinitive
               | vaudrait |

The following situations require you to make a choice:

'Vous attendez ou vous revenez demain?'
'Il reste des places à 30F . . . vous les prenez?'
'La coupe ordinaire coûte 30F alors que la coupe au rasoir est à 40F . . . '
'Quel jour voulez-vous venir?'

'Quelle date vous conviendrait le mieux?'
'Préférez-vous le matin ou l'après-midi?'
'Voulez-vous suggérer une heure qui vous convienne?'
'Que voulez-vous à boire?'
'Le directeur n'est pas là . . . Il revient dans une heure. Mais le sous-directeur est disponible . . . '
'Je peux vous soigner moi-même, mais si vous voulez voir un médecin . . . '

e *Repeating information, checking change*

The sort of things you may have to repeat are telephone numbers and directions or instructions. The first is a question of simple repetition, the other requires you to change the person of the verb. Practise this by repeating the following instructions as if they apply to yourself:

e.g. Je . . .
      Je dois . . . + infinitive
      Il me faut . . . + infinitive.

'Vous prenez la rue Barbe jusqu'au bout. Puis vous tournez à gauche et suivez l'Avenue Henri Plonque. Vous prenez la 3ème rue à droite. Le syndicat d'initiative se trouve sur votre gauche.'

'Vous allez jusqu'au bout de ce couloir, vous tournez à droite et vous montez l'escalier. Droit devant vous se trouve la salle d'attente. Sonnez . . . puis prenez place et attendez.'

The checking of change is a piece of mental arithmetic and a good knowledge of numbers from 1-100 is essential. It is also vital to be familiar with French money (i.e. to know what coins and notes there are).

The following phrases may prove useful when change is being discussed:

Avez-vous l'appoint?
Voulez-vous vérifier votre monnaie?
Vous me devez . . .

Il me | faut | (donc) . . .
    | faudrait |
C'est | ça.
    | juste.
Ce n'est pas | juste.
          | correct.
C'est faux.
Vous vous êtes trompé.
Vous pouvez garder le reste.

The following exercise will give you practice in manipulating sums of money. You can easily invent more examples yourself for further practice. Say how much change you expect in each case:

Je vous dois . . .	Je vous ai donné . . .
Un franc quinze	Un billet de cinquante
Deux francs quatre-vingt	Un billet de dix francs
Cinq francs quatre-vingt-dix	Deux billets de dix francs
Six francs dix	Une pièce de cinq francs et deux pièces d'un franc
Onze francs cinquante	Trois pièces de cinq francs
Quinze francs vingt-cinq	Un billet de dix et deux pièces de cinq francs
Dix-neuf francs	Un billet de cinquante
Vingt-cinq francs soixante	Un billet de cinquante
Soixante-huit francs cinquante	Deux billets de cinquante
Soixante-dix-huit francs	Huit billets de dix
Quatre-vingt-neuf francs	Un billet de cent
Quatre-vingt-onze francs cinquante	Un billet de cinquante et cinq billets de dix

B

This section, as well as combining the skills and materials you have been practising, also gives you a variety of developments arising from each situation. Of course, in the examination you would only have to deal with one of the alternatives and its further consequences – here you should attempt them all.

These problems are not set out as they would be on the O-level cards, but they do exercise the necessary skills.

In the first four problems, suggestions are given for your answers; you need not limit yourself to these if you can think of others.

1. One of your eyes keeps watering and is very sore. You go to a doctor's surgery. Ask whether you can see the doctor.

Now deal with the following developments:

'Qu'est-ce que vous avez exactement?' (Explain about your eye.)

'Si vous voulez prendre place, on s'occupera de vous aussitôt que possible.' (Where should you sit? How long to wait?)

'Le docteur n'est pas là en ce moment; il est sorti à cause d'une urgence.' (When will he be back? Was it far? Is there another doctor? Can this person help/give advice?)

'Si c'est vraiment grave, il vous verra tout de suite; sinon . . . il y a d'autres patients qui attendent déjà, vous comprenez . . . ' (Not urgent and you'll wait/you would prefer to see him at once; you are in some discomfort.)

'Le docteur n'est pas un spécialiste. Je vous conseille d'aller chez un opticien.' (Thank person for advice; you're sorry to have troubled them. Is there an optician nearby? Can they recommend one?)

'Vous n'êtes pas Français, n'est-ce pas? Comment allez-vous payer les frais de traitement? Vous allez les payer personnellement?' (Explain that you have a E 111 form which insures you/your correspondent's father is coming soon and will discuss matter.)

2. The doctor/optician sees you. Explain that your eye has been troubling you for two days.

Now deal with the following developments:

'L'avez-vous beaucoup frotté?' (A bit/not at all/only wiped it with clean handkerchief/quite a lot.)

'Avez-vous bien dormi récemment?' (Slept quite normally/late nights due to travel/only one late night.)

'Avez-vous l'habitude de lire beaucoup ou de regarder beaucoup la télévision?' (Yes, both/yes, but not recently because on holiday/you read late at night; television only at weekends.)

'De quels médicaments vous êtes-vous déjà servi?' (Aspirin/ointment/eye-drops/nothing.)

'Je n'y vois rien, mais je vous conseille de le garder couvert.' (For how long?/what with?/has he something or must you buy something?/if so, where?/ thank him for advice, which you'll follow/do you owe him anything for consultation?)

'Pouvez-vous revenir me voir dans trois jours?' (Of course/not possible: leaving country soon.)

'Je vais vous donner une note pour votre médecin. Pourriez-vous la lui traduire?' (Yes, you'll do that/ he speaks French.)

3. You are in a department store buying souvenirs. Ask the assistant if she will recommend a present for your mother.

Now deal with the following developments:

'Je présume qu'elle a déjà un sac à main?' (Yes, several/yes, but old/yes, but it's still good idea.)

'Combien pensez-vous mettre?' (Very little/between 30F and 40F/ up to 30F but a bit more if you find a good present.)

'Qu'est-ce qu'elle aime particulièrement?' (Has collection of ornaments, pots, vases, pottery/likes pendants, rings.)

'Nous avons un grand choix de parfums: les prix commencent autour de 25F.' (Has plenty already/ doesn't use it/could you see cheapest ones/you can get that on boat.)

4. You travelled on the Paris train from Dieppe and got out at Rouen. In the evening you found you had lost your camera. Explain at Rouen lost property office that you think you left it on the train and ask whether they can contact the Paris station.

Now deal with the following developments:

'Vous voyagiez dans quel train?' (Invent time train left Dieppe or arrived Rouen.)

'Voulez-vous me fournir une description de l'appareil?' (Japanese? German?/suggest name and type/type of case?/light meter on strap?/name on case/initials on case.)

'Quelles sont vos initiales?' (French alphabet!)

'Et votre nom de famille, comment ça s'écrit exactement?' (French alphabet!)

'Vous êtes sûr de l'avoir laissé dans le train?' (Absolutely/reasonably/not very/last hope!)

'Vous aurez à payer la communication!' (Of course/ how much?)

'Si on l'a trouvé il y a très peu de chances qu'on le renvoie aujourd'hui. Pourriez-vous revenir demain?' (Yes, of course/not following day, but day after/ not necessary; you're going to Paris later in week.)

In the following situations no suggestions will be given. Try to think of as many alternatives as you can.

5. Your car has just broken down and you are phoning a garage you have found in the phone book. You had just driven through a village called Arlaix and you're travelling on the RN 14. Tell the garage proprietor that you have broken down, explain where you are and ask whether they can send someone.

'Volontiers, mais il y a des garages beaucoup plus proches. Si on vient, ça vous reviendra plus cher!'

'Savez-vous à peu près ce qui ne va pas?'

'Pouvez-vous me donner des détails sur la voiture?'

'Si c'est une voiture anglaise je doute qu'on puisse vous aider car on n'a pas de pièces anglaises.'

'J'envoie un mécanicien tout de suite.'

6. You are phoning a M. Bridoux (your correspondent's father) at his office in Paris on a serious personal matter. You are phoning from a phone box (Invalides 20:82:09). Ask to speak to him.

'Qui êtes-vous exactement?'

'Ne quittez pas . . . je vous le passe tout de suite.'

'Il parle actuellement à un client et j'aimerais mieux ne pas l'interrompre. Voulez-vous lui laisser un message ou pourriez-vous retéléphoner plus tard?'

'De quoi s'agit-il exactement?'

'Nous ne prenons pas les appels privés!'

'Il vient de sortir. Je lui dirai de vous rappeler plus tard. Où peut-il vous joindre?'

7. You are staying with a family in France and are alone in their flat. The doorbell rings and you open to find a stranger at the door. Explain that the family is out, but will be back later in the evening.

'Je suis le voisin d'à côté . . .'

'Je viens tout simplement lui rendre son guide Michelin d'Angleterre. On va y passer une quinzaine de jours cet été.'

'Je voulais demander à M. Leclerc s'il me prêterait sa perceuse électrique.'

'Je suis le voisin d'en dessous. Je viens dire à M. Leclerc que je ne peux plus l'accompagner au match samedi.'

'Je suis le frère de M. Leclerc. J'étais à Paris pour voir un client. J'ai décidé de venir lui rendre visite.'

8. You get into a train with your family. You have booked seats (17-21 in carriage 28). You find a group of French pupils in these seats with their teacher. Explain that the seats are yours.

'Mais non . . . c'est vous qui vous êtes trompés. Les places, ça va . . . mais c'est ici la voiture 39!'

'Je me fiche de vos réservations. On est là depuis Nice. On y est, on y reste!'

'Vous avez raison. Je n'avais pas remarqué. Pardon, on va se déplacer.'

'Oui, je sais. Mais il y a d'autres places partout.'

'Il y a erreur; il faut trouver un contrôleur.'

9. After a breakdown you arrive at a Channel port by car in the early hours of the morning. You had reservations on the 18:00 ferry. Ask whether you've missed the last boat.

'Oui, il est parti il y a une demi-heure. Il n'y a plus rien avant demain matin.'

'Non, il part dans 40 minutes. Vous avez réservé pour la voiture?'

'Il y en a un qui part à 02:00, mais il ne prend pas de voitures.'

'Vous n'avez pas entendu? Ils sont en grève, les employés du bateau!'

10. | You have 3 or more days in France and wish to book a coach trip for yourself and 11 other students to Versailles. Explain this at the booking-desk. |

'Pour quand voulez-vous réserver?'

'Il y a un tarif réduit de groupes et pour les étudiants munis d'une carte d'étudiant.'

'Malheureusement c'est complet pour cette excursion, mais je peux vous offrir Malmaison, Fontainebleau ou Vaux-le-Vicomte.'

'Cette semaine toutes les excursions sont au complet. Mais il y a des places pour la semaine prochaine.'

'Je ne peux vous offrir que dix places dans le même car. Les deux autres pourraient faire l'excursion séparément . . .'

11. | You arrive at a hotel with your parents. Ask whether you can have a double and a single room with bath or shower. |

'Il ne me reste qu'une chambre à trois lits.'

'Vous voulez rester combien de temps?'

'Oui. Où sont vos bagages? Mon fils s'en occupera.'

'Il faut absolument que ce soient des chambres séparées? Il ne nous reste pas grand'chose.'

'Seules les chambres à deux personnes ont une douche.'

'C'est impossible. On est complet pour l'été!'

'Il n'y a aucune chambre de libre, mais on m'a dit que l'hôtel d'à côté avait quelque chose.'

'Il y a bien trois chambres séparées. Ça vous va?'

12. Look at the following menu:

> **Menu**—Prix net 21F
> Service en-sus 10%
>
> *Œuf mayonnaise*
> *ou*   *Salade de tomates*
> *ou*   *Crudités*
> *ou*   *Potage du jour*
>
> *Poulet rôti*
> *ou*   *Biftek garni*
>
> *Pommes frites*
> *ou*   *Pommes vapeur*
> *Petits pois*
> *ou*   *Haricots verts*
> *ou*   *Epinards*
>
> *Fromage*
> *ou*   *Fruits*
> *ou*   *Glaces*
>
> *Carafe de vin comprise*
>
> *Café 2F50*

Now order a meal for yourself and a friend who doesn't know any French in the light of the following notes:

a   You like salads; your friend doesn't, and can't stand tomatoes or oily dressings. You wonder what the soup is.

b   You like steak; your friend prefers chicken. You both want chips, but are interested to know what 'pommes vapeur' are.

c   You don't dislike any vegetables; your friend can't stand peas or spinach.

d You wonder what cheeses there are and what fruit is available. You finally decide to have a pear. Your friend wonders what flavours of ice cream there are and decides to have a coffee one.

e You are happy with coffee; your friend wants to know whether he can have tea instead. On learning that he can't, he decides not to have anything. You want coffee with milk.

Now fill in the gaps in the waiter's calculations with the appropriate sums of money so that you can say it as a complete statement:

'Eh bien, deux menus à 21F; ça fait . . . . . . , plus un café à . . . . . . ; ça fait . . . . . . , plus 10% . . . . . . ; ça fait . . . . . . en tout. Vous m'avez donné un billet de 50F; je vous dois donc . . . . . . '

How would you tell him to keep the change?

French-English vocabulary

Note: When a word has several meanings, only those found in the text are given.

A

abîmer, to spoil, damage
d'accord, in agreement, agreed!
actuellement, at the present moment, now
un adhérent, member
une affaire, bargain
les affaires, things, belongings
s'agir, to be a question of, be about, be the matter
aîné, elder, eldest
les aires de jeux, playground
ajouter, to add
allongé, lying, stretched out
allumer, to light
les allumettes, matches
alors que, when, whilst, whereas
animé: les dessins animés, cartoon films
un anneau, ring
antipathique, unpleasant, disagreeable (person)
apercevoir, to see, notice, spot
un appareil, camera
l'appel: faire l'appel, to call the register
un appentis, outhouse, (lean-to) shed, car port
l'appoint, odd change, correct money
d'après, according to; d'après vous, in your opinion

une aquarelle, water colour (painting)
un arc, bow (for archery)
un ascenseur, lift, elevator
assister à, to attend, be present at
un atelier, workshop
attraper, catch, 'tell off'
l'aube, dawn, sunrise
une auberge, inn, hostel
ne . . . aucun(e), none, not any
augmenter, to increase
avaler, to swallow
l'avenir, future
l'avis, opinion; à mon avis, in my opinion
un(e) avocat(e), barrister

B

une baffle, speaker (stereo etc.)
une bagarre (familiar), fight, 'punch-up'
une bagnole (familiar), car
une bague, ring
se balader, to stroll, go for walk
une balançoire, see-saw, swing
balnéaire: une station balnéaire, seaside resort
la banlieue, suburbs, outskirts
la barbe à papa, candy-floss
barbu, bearded
bas: en bas de, at the foot, bottom of
un bassin, (fish)pond
bavarder, to chat(ter)
bêcher, to dig
bête, stupid, silly
bêtises: faire des bêtises, to act the fool
le béton, concrete
un bidon, can, drum (for liquid)
bien: c'est bien fait pour . . . , it serves . . . right
bientôt, soon

les bijoux, jewels
un bleu de travail, overalls, boiler suit
une boisson, drink
bondé, full up, packed (train, bus etc.)
bouclé: les cheveux bouclés, curly hair
un boulot (familiar), job, work
une boum (familiar), party, dance
un bout, end, piece, bit
un brevet, diploma, certificate
une brosse, brush; cheveux en brosse, short hair, 'crew-cut'
un buisson, shrub, bush
un but, aim, goal

C

cacher, to hide
un cachet, seal, stamp; ça a un tout autre cachet, it's really something special
cadet(te), younger, kid brother/sister
un canapé, sofa, couch, settee
une canne à peche, fishing rod
un cantique, hymn
un casque, helmet
casse-pieds (familiar), tiresome, boring, 'a pain in the neck'
une ceinture, belt
un cerf-volant, kite
un cerisier, cherry tree
certain; d'un certain âge, middle-aged
chahuter, to play up (in class), behave in noisy, rowdy fashion
la chaîne, (television) channel
la chair, flesh
la chaleur, heat
la chance, luck, good fortune
un chandail, sweater, jumper, pullover

le chantage, blackmail

se charger de, to undertake, be responsible for

les charges, duties

chauve, bald

une chignon, a 'chignon', a 'bun' (hair); en chignon, (hair worn) in a 'chignon', in a bun

les chips, (potato) crisps

un chômeur, out of work, jobless, unemployed person

chouette! great! fabulous!

une cible, target

la circulation, traffic

les ciseaux, scissors

clair, light, bright

une clef, key, spanner; clef anglaise, adjustable spanner, 'monkey wrench'

un clochard, tramp, beggar

clôturé, enclosed

un cobaye, guinea pig

coincer, pinch, catch, squeeze

un collier, necklace

commander, to order (food)

les commissions: faire des commissions, to run errands, to do the shopping

complet, full

un complet, suit

compris: service (non) compris, service charge (not) included; y compris, including

compte (see se rendre compte)

un compte rendu, report, write-up, 'project'

un(e) concierge, caretaker

conduire, to drive

un conseil, (a piece of) advice

la consigne, left-luggage office

contre, against; par contre, on the other hand

convenir, to suit, be suitable to

un copain, une copine, pal, mate, friend

une corbeille, basket

un côté, side; mettre de côté, to save (money), put to one side

une cotisation, subscription

le coucher du soleil, dusk, nightfall, sunset

coudre, to sew

des couettes, 'bunches' (hair style)

un couloir, corridor

courant: être au courant, to know the facts of the case

le courrier, mail, post

les courses: faire des courses, to run errands, do the shopping

la couture, sewing

criard: une couleur criarde, gaudy, 'loud' colour

croire, to believe, think

une crosse, (hockey) stick, (golf) club

croûte: casser la croûte, to have a snack

le cuir, leather

une cuisse, thigh

D

le daim, suede

se débarasser de, to get rid of

se débarbouiller, to wash one's face

debout, standing, upright

débuter, to begin, commence, start

décevant, disappointing

décontracté, relaxed, easy, casual (clothes)

déçu, disappointed

les dégâts, damage

déménager, to move (house)

se dépêcher, to hurry

dépenser, to spend (money)

se déplacer, to move

depuis, since (time), from (place)

déranger, to disturb

désherber, to weed, clear grass away

désolé, very sorry

au-dessous de, below

au-dessus de, above

destiné à, meant, intended for

détendu, relaxed

un détournement d'avion, hijacking

une diapositive, slide

diffuser, to broadcast

dingue (familiar), mad, daft

un discours, speech, talk

disponible, available

se distraire, to amuse oneself

le droit, law

durer, to last

E

ébouriffé: les cheveux ébouriffés, untidy hair

l'écart: à l'écart de, off, away from

échapper, to escape; l'échapper belle, to have a narrow escape

les échecs, chess

une échelle, ladder

s'éclabousser, to splash one another

s'éclaircir, to clear up, brighten up (weather)

éclater de rire, to burst out laughing

économiser, to save (money)

un écran, screen; le petit écran (familiar), television

s'écrouler, to collapse

une écurie, stable

un écusson, coat of arms, (blazer) badge

efficace, effective

également, equally, also, as well

emballer, to wrap up

embêter, to annoy
un embouteillage, traffic jam
émettre, to issue
emmener, to take (someone) with one
une émission, (television or radio) programme
empêcher (de), prevent (from)
des emplettes: faire des emplettes, to go shopping
emprunter (à), to borrow (from)
encadrer, to supervise
encastré, fitted, let into
un endroit, place
enlever, to remove, take off
ennuyeux, boring, tedious, dull
enregistrer, to record (on tape)
une enseigne, sign
enseigner, to teach
entendu, agreed
envie: avoir envie de, to feel like, fancy
épais(se), thick
les épinards, spinach
une épingle, pin
une équipe, team
l'équitation, horse-riding
un escargot, snail
une espèce, sort, kind
espérer, to hope
un étage, floor, storey
étendu, stretched out
étiqueter, to label
étouffer, to stifle, suffocate

F
fâché, angry, cross
une façon, way, method
le fer, iron
fêter, to celebrate
un feuilleton, serial

se ficher de, not to care about
fier (de), proud (of)
un filet, net
les fléchettes, darts
foncé, dark (of colours)
au fond de, at the back of, bottom of
fondre en larmes, burst into tears
formidable! great! fantastic!
fou (folle), mad; **rendre fou**, to drive mad
fournir, to supply
le foyer, entrance hall; **le foyer des jeunes**, youth centre, youth club
frais (fraîche), fresh, chilly
une frange, a fringe (hair)
les friandises, sweets
frisé: les cheveux frisés, curly hair
une fronde, catapult
frotter, to rub
la fumée, smoke
fureur: faire fureur, to be popular, 'all the rage'
un fuseau (familiar) tight trousers, 'drain pipes', 'straights'

G
gâcher, to spoil, mar
gagner, to win, earn
un gardien, keeper; **gardien de but**, goalkeeper
gaspiller, to waste, squander
le gazon, lawn, grass
gênant, embarrassing, awkward
gêné, embarrassed, ill at ease, uneasy
un genre, type, sort, kind
gentil(le), nice, pleasant (person)
une gourmette, identity bracelet
un goût, taste
une goutte, drop (of liquid)

un grenier, loft, attic
une grève, strike; **être en grève**, to be (out) on strike
grimper, to climb, clamber (up)
gronder, to grumble at, 'tell off'
grossier, rude, ill-mannered
un guichet, booking-office window

H
habile, clever, skilful, crafty
une habitude, habit; **d'habitude**, usually
une*haie, hedge
un*hangar, large shed
un*haricot, bean
par*hasard, by chance
*heurter, to bump into
des histoires, trouble, problems, fuss
*honte: avoir honte (de), to be ashamed (of)
un horaire, timetable (railway, bus etc.)
une humeur, mood; **de bonne/ mauvaise humeur**, in a good/ bad mood

* *indicates aspirated 'h'*

I
un immeuble, block of flats
imprévu, unexpected
un imprimeur, printer
incroyable, unbelievable
inouï, unheard of, scandalous, outrageous
inquiet, worried
insu: à son insu, without his knowledge
insupportable, unbearable
une intrigue, plot

J

joindre, to join
jumeau (jumelle), twin
les **jumelles**, binoculars

L

lâche, cowardly
la **laine**, wool
une **laisse**, lead, leash
un **lécheur** (familiar), a 'creep',
    a 'crawler'
la **lecture**, reading
une **légende**, caption, legend, motto,
    (on badge)
léger, light
le **lendemain**, the next day, the
    day after
lent(ement), slow(ly)
une **licence**, a (university) degree
un **lieu**, place; **avoir lieu**, to take
    place
le **linge**, linen
une **livre**, pound (lb. or £)
un **locataire**, tenant
un **lotissement**, (housing) estate
louer, to hire, rent

M

un **maître d'hôtel**, head waiter
mal: mal à l'aise, ill at ease; **avoir
    du mal (à)**, to have difficulty
    (in)
maladroit, clumsy
manquer, to miss, be missing
une **maquette**, model
un **marché**, market; **(à) bon marché**,
    cheap(ly); **(à) meilleur
    marché**, cheaper (more
    cheaply)
les **marches**, steps
marre: en avoir marre de, to be
    fed up with

une **matière**, subject (of study)
un **médecin**, doctor
mener, to lead, run
un **métier**, trade, profession
les **meubles**, furniture
moche, shoddy, tatty, second rate
moins, less; **au moins**, at least
un **mollet**, calf (of leg)
la **mousse de polystyrène**, expanded
    polystyrene
un **moyen**, a way, means; **avoir les
    moyens de**, to be able to
    afford to
au moyen de, by means of
muni de, carrying (membership
    card etc.)
un **muret**, little wall

N

la **natation**, swimming
les **nattes**, plaits
navré, sorry
un **niveau**, level
un **noisetier**, hazel tree

O

une **occasion**, bargain; **d'occasion**,
    second-hand
s'occuper de, to attend to, deal
    with, take charge of
une **œuvre**, work (of art, literature)
un **orage**, storm
ôter, to take off, remove
un **ours**, bear
un **outil**, tool

P

un **palier**, landing
parfois, sometimes
un **parfum**, flavour
parmi, among
une **partie**, match, game

partout, everywhere
un **pas**, step, stride, pace; **à deux pas
    de**, a short distance from
une **patinoire**, skating rink
une **patte**, paw, foot (of animal); **un
    pantalon à pattes d'éléphant**,
    wide, flared trousers
pêcher, to fish
peindre, to paint
une **pelouse**, lawn
une **pendule**, clock
pénible, painful, distressing
une **pension**, boarding house, 'bed
    and breakfast'
la **Pentecôte**, Whitsun
piquet: envoyer au piquet, to
    stand someone (in the
    corner, outside the door,
    in the corridor etc.)
une **platine**, (record) deck

Q

quant à, as for
le **quai**, quayside, platform
quelconque, some . . . or other
une **queue de cheval**, pony-tail (hair
    style)

R

une **raie**, parting (in hair)
raide, stiff; **c'est un peu raide!**
    it's a bit thick, stiff!
le **ramassage scolaire**, school
    transport, buses
une **randonnée**, outing, trip, excursion
les **rapports**, relations, connections;
    par rapport à, in relation to
ravi, thrilled, delighted
un **rayon**, (i) radius (ii) shelf
réagir, to react
une **réclame**, advertisement (sign)
rembourser, to repay
une **remise**, shed

remplir, to fill
rendre, to give back
se rendre compte, to realise
un renseignement, (a piece of)
    information
renverser, to knock over, down
répéter, repeat, rehearse, practise
un requin, shark
retrousser, to roll up (sleeves etc.)
se réunir, to meet
réussi, successful
le rez-de-chaussée, ground floor
rouler, to drive
le Royaume-Uni, United Kingdom

S

sain et sauf, safe and sound
une scie, saw
un seau, bucket, pail
sec (sèche), dry
un séchoir, (clothes) drier
un séjour, stay
une selle, saddle
selon, according to; selon vous,
    in your opinion
semblant: faire semblant de, to
    pretend to
une semelle, sole (of shoe)
sentir, (i) to smell (ii) to feel
un serin, canary
sermonner, to 'tell off', 'moan at',
    'lecture'
une serre, greenhouse
un siège, seat, chair
la soie, silk
soigner, to tend, look after
le soin, care, attention
sois (subjunctive form of 'être'),
    that I am, (should) be
soit . . . soit, either . . . or
sommeiller, to doze
le soulagement, relief

sourire, to smile; ça me sourit,
    that appeals to me
le sous-sol, basement
un sou, sou (old coin which was
    worth 5 centimes); des
    machines à sous, slot
    machines
un stage, course (of instruction)
stationner, to park
le stop, hitch-hiking
surnommé, nicknamed
sympathique, nice, pleasant
    (person)
le syndicat d'initiative, office of
    tourism

T

une tâche, task, job
un talon, heel
tandis que, while, whilst, whereas,
    . . . on the other hand
tant, so much; en tant que, as a,
    in the capacity of a
tapisser, to wallpaper
taquiner, to tease
tarder, to delay; ne va pas tarder
    (à), won't be long (in)
tarif, tariff, fee, fare; à tarif réduit,
    at a reduced fare, fee
un tas, heap, pile; un tas de, lots of
le taux, rate; le taux de change,
    exchange rate
le temps, time, weather; dans le
    temps, in the past
teint, tinted, dyed, coloured
tellement, so, to such an extent
tenir, to hold
se tenir, to stand
le tergal, French synthetic material
tirer, to pull; il s'en est tiré à bon
    compte, he did well out of it
un tiroir, drawer
un tissu, cloth, material

une tondeuse, lawn mower
tort, wrong; faire du tort à, to do
    someone a disservice, to
    let someone down
tôt, early
un tour, trick; faire le tour de, to
    go round
une tournée, round; en tournée, on
    tour (singer, group etc.)
traduire, to translate
en train de, in the process of
traîner, to lag, trail behind; laisser
    traîner, to leave lying about
un trajet, (length of) journey
tricoter, to knit
un trimestre, (school) term
triste(ment), sad(ly)
se tromper, to make a mistake
un tube (familiar), hit (record, song)
tuer, to kill
un tuyau, pipe, tube; un pantalon à
    tuyau de poêle, 'drain pipe'
    trousers

U

usé, worn out
une usine, factory

V

la vaisselle, plates and dishes, crockery;
    faire, laver la vaisselle, to do
    the washing up
valoir, to be worth; ça vaut, that's
    worth
une vedette, star (film star etc.)
la veille, the previous day, evening
le velours, velvet; le velours côtelé,
    corduroy
venir de, to have just
le vent, wind; être dans le vent, to
    be up with the latest fashion,
    to be 'with it'
le verglas, frost
verser, to pour

le **vestiaire**, cloakroom

vexé, annoyed

vider, to empty

vif (vive), lively

un **vignoble**, vineyard

vilain, nasty, bad, unpleasant;
        un vilain tour, a nasty,
        dirty trick

la **vitesse**, speed

un **vol**, (i) flight, (ii) theft, robbery

un **volant**, (i) shuttlecock
        (ii) steering wheel

volontiers, with pleasure,
      willingly, gladly

voyant, gaudy, 'loud', garish

un **voyou**, hooligan, 'yob'

Y

y, there; **y compris**, including

Z

zut! blast! damn it!